しょぼい

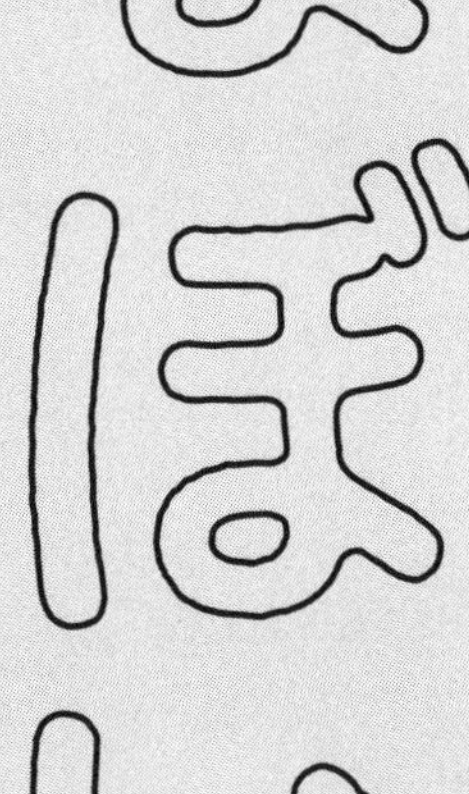

〔司会・中田考〕
内田樹×えらいてんちょう（矢内東紀）

生活革命

晶文社

装丁　佐藤亜沙美（サトウサンカイ）
写真　岩沢蘭
編集協力　今泉愛子、長山清子

まえがき

内田樹

みなさん、こんにちは、内田樹です。

今回は矢内東紀（aka えらてん）さんとの対談本です。司会は中田考先生にお願いいたしました。これがどういう趣旨の本であるかについて、最初にご説明したいと思います。ちょっと遠回りしますけれど、ご容赦ください。

だいぶ前のことですが、大瀧詠一さんがラジオの『新春放談』で山下達郎さんを相手に、「ほんとうに新しいものはいつも『思いがけないところ』から出て来る」と語ったことがありました。ポップミュージックについての話でしたけれども、僕はあらゆる領域にこの言明は当てはまると思いました。「ほんとうに新しいもの」はつねに「そんなところから新しいものが出て来るとは誰も予想していなかったところ」から登場してくる。

音楽だけではなく、美術でも、文学でも、映画でも、学術でも、事情は同じです。いつだって「え、こんなところから！」と驚くようなところから新しいものは生まれて来る。

もう一つ、これも僕の念頭を去らない言葉ですが、村上春樹さんがインタビューに答えて言った言葉です。「時代によって知性の総量は変わらない」。これもその通りだと思いました。賢者が多い時代とか、愚者ばかりの時代というようなものはありません。どんな時代だって、賢愚の比率は変わらない。変わるのは賢愚の分布だけです。

ある時期、才能のある人たちが「ダマ」になって集まっていた領域に、なにかを境にして、才能のある人がぱたりと来なくなるということはよくあります。これまでにそういう場面を何度も目撃しました。テレビや広告業界や週刊誌は、ある時期きらめくような才能が集まっていましたが、ある時からそうではなくなった。でも、それをもって「才能のある人間が日本からいなくなった」と推論するのは間違っています。才能のある人はどこかよその、もっとスリリングな領域に立去ってしまったのです。

そういう現象がいま日本社会のさまざまな分野で同時的に観察されています。

少し前まで、才能のある人、創造的な人、破天荒な人がひしめいていた業界が、定型的な文句を繰り返し、前例主義にしがみつき、イノベーティヴな企画を怖がる人たちばかりで埋め尽くされるようになった。そういうケースを皆さんもいくつもご存じだと思います。

でも、別にそれをそんなに悲観することはないんじゃないかと僕は思っています。

才能のある人も、知的に卓越した人も、想像力に溢れる人も、人口当たりの頭数にはそれほど経年変化はありません。だから、もし、「これまでそういう人がいた場所」にそういう人が見当たらないのなら、それは「それ以外のどこか」にいるということです。

「それ以外のどこか」がどこなのか？

それは僕にもまだよくわかりません。それでも、なんとなく「あの辺かな？」という予測はありますけれど。

例えば、「美味しい食べものを作る仕事」、「長く師について伝統的な技芸を習得しないとできない仕事」、「身体と心の傷を癒す仕事」、「書物を商品ではなく、『人間にとってなくてはならぬもの』として扱う仕事」、「品位、親切、礼儀正しさといったことが死活的に重要な仕事」といった領域には、才能あふれる若い人たち（あまり若くない人たちも）が集まっています。

いま僕がおこなったこの列挙の仕方のカテゴリー・ミスティク的無秩序ぶりからも、「あの辺」とは「どの辺」なのか、一意的に条件を定めるのがむずかしいということはおわかりいただけると思います。

それでも、とにかく才能ある若い人たちが、「ある種の領域」に惹きつけられて、かたまりを作りつつある……という直感を僕と共有してくれる読者は決して少なくないと思います。

そのいくつかの「かたまり」が出会って化学変化を起こしたときに、「ほんとうに新しいこと」が始まる。僕はそう思っています。そして、それを見たとき、僕たちは「なんだ、そうだったのか。ああ、思いつかなかったけれど、そうか、その手があったのか」と笑いながら膝を打つ。そういうもんなんです。

ほんとうに新しいものは「新しいけど、懐かしい」という印象をもたらします。ただ「新しい」だけでは時代を刷新するような力を持ちません。「新しく」てかつ「懐かしい」という二つの条件を同時にクリアーしないと時代を変えることはできない。

1956年にエルヴィス・プレスリーはカントリー、R&B、ポップスの3チャートで1位になるという驚くべき記録を作りました。人種や性別を超えて、宗教や生活文化の差を超えて、多くのアメリカ人がこれは「自分のための音楽」だと感じた。自分の身体の深層にエルヴィスの歌声にはげしく共鳴するものを感じた。それが「新しくて、懐かしい」という経験の一例です。

それと同じようなことがいずれ日本でも起こると僕は感じています。何か「新しいけれど、懐かしいもの」が思いがけないところから登場してくる。それを見て、僕たちは、日本人がまったく創造性を失ったわけではないし、才能が枯渇したわけでもないと知って、ほっとする。

きっとそういうことがこれから起きる。もうすぐ起きる。それが「どこ」から始まるのかは予想できないけれど、もうすぐ起きる。そういう予感が僕にはします。

えらてんさんとの出会いは僕にとってそのような徴候の一つでした。

えらてんさんがどういう人なのか、僕はこの対談でお会いするまでよく知りませんでした。中田考先生経由でお名前を知って、ツイッターをフォローしたり、YouTube の動画を見たりはしていましたが、どういう経歴で、どういう仕事をしていて、どういう考え方をしている人なのか、詳しいことは知りませんでした。

ですから、この対談は、彼がどういう家庭で生まれて、育ったのかという『デイヴィッド・コパフィールド』的な語りから始まっています。そして、元東大全共闘だった両親の下で、共産制のコミューンで育ったという驚嘆すべきライフ・ヒストリーをうかがい、朝起きられないので定職に就かず、「しょぼい起業」をしたり、ユーチューバーとして収入を得ているという話を聴いて、「ほんとうに新しい世代」の人なのだと思い知りました。

一番驚いたのは、彼は僕たちの世代が口角泡を飛ばしてその理非を論じ、身銭を切って学習したり、あるいは批判してきた知見を（マルクス主義やポストモダニズムやフェミニズムや新自由主義を）、「生まれたときからそこにあったもの」としてやすやすと、手になじんだ道具のように扱うことができる。そういう世代の人だということでした。

ピエール・ブルデューは『ディスタンクシオン』で、「後天的に努力して文化資本を学習しなければならない階層」と「生まれつき文化資本を身につけた階層」の乗り越えがたい差異のうちに階層再生産の力学が働いていることを明らかにしました。

「飲んだことのないワイン」について、セパージュがどうたら、テロワールがどうたら、マリアージュがどうたらとあれこれ蘊蓄を傾けられるのが「後天的文化貴族」。一方で、ワインの銘柄も産地も価格も知らないけれど、それを口にしたとき鼻腔に広がった香りや、グラスの舌触りや、かかっていた音楽や、窓から見えた風景をありありと思い出して、その愉悦について語ることができるのが「先天的文化貴族」です。文化資本をどこかから集めて来た「情報」として所有しているのか、固有名での「経験」として所有しているのか、その違いと言ってもいい。

えらてんさんは僕たちの時代の歴史的経験を、一般的な情報としてではなく、「固有名での経験」として生きている。そういう印象を受けました。説明のしかたが下手ですみません。でも、そういう印象を受けたんです。

例えば、60年代末の「全共闘運動」がどのような思想や心情にドライブされていたものかかということを、彼は史料を経由してではなく、親子関係を通じて身にしみて知っていた。そういう人と出会ったのは、僕ははじめてでした。

僕らの世代にとって、全共闘運動は非日常的な高揚感やあるいは救いのない失意を含んだ一個の「物語」でした。だから、僕たちはそれを語るときについ「遠い目」をしてしまう。でも、えらてんさんにとって、それは「物語」でもなんでもなく、ほとんど凡庸な「日常的現実」だった。

そういう人に僕ははじめて会いました。そして、そういう経験をした人の目から、世の中はどう見えるのだろうかということにつよく興味を惹かれました。

ですから、この対談でも、彼の話を聴いているとき、僕はだいたい口を半開きにして「はあ〜」と呆然としておりました。

でも、読むとわかりますけれど、この対談の中では、僕の方が彼よりたくさんしゃべっています。ただし、それは僕の方に彼に「教えたいこと」があったからということではありません。そうではなくて、僕の方に「生きているうちに伝えておきたいこと」があったからです。先生が生徒に向かって教壇から教えているというのではなく、息も絶え絶えになった古老が、若者の手を取って、「これは先祖から伝えられた教えじゃ。わしはもうあといくばくもない。だから、ここでお前に伝えておくよ」というような感じです。えらてんさんは僕のそういう「感じ」をきちんと受け止めてくれたと思います。

彼が僕の「口伝」をこれからどういうふうに生かすのか、しまい込むのか、捨てちゃうのか、それは彼が決めることです。僕としては彼もいずれまた一族の古老として死期を迎えて、若者の手をとって「これは先祖から……」をやるときが来た時に、そこに僕からの「口伝」の断片がいくつか含まれていたら、それだけで十分に満足です。

最後になりましたが、大きな世代の隔絶をはさんだこの対談を企画し、対話をたくみに導いてくださった中田考先生と、つねに変わらぬ忍耐と雅量で仕事を進めてくださった晶文社の安藤聡さんに心から感謝申し上げます。ありがとうございました。とても面白い本ができました。

2019年12月

しょぼい生活革命　目次

第1章 全共闘、マルクス、そして身体

第2章 しょぼいビジネス、まっとうな資本主義

第3章　共同体のあたらしいあり方

第4章 教育、福祉制度を考える

第5章 先祖と宗教とユーチューバー

第6章　日本とアジアのあるべき未来

第1章

全共闘、マルクス、そして身体

両親は東大全共闘の生き残り（矢内）

——（中田）　いま日本では、後世になにかを伝えるということが、本当にあらゆるレベルで、なくなっているんじゃないかという危機感があります。今回の対談全体のテーマとして、過去から未来へとつないでいくということをお話ししていただければと思っています。

いま矢内さんの『しょぼい起業で生きていく』（イースト・プレス）という本が大変売れています。タイトルはとてもトレンディですが、書かれていることは非常に普遍的な内容です。内田先生自身も、もともと神戸女学院大学にお勤めですが、その前は学生のときから起業されている。もう世の東西を問わず昔からあるものと、新しいものと、どちらも読者の方は求めていると思いますので、内田先生のお話と、矢内さんのいまやっていらっしゃることと、新しいものと普遍的なものとの関係もお聞きできればと思います。

内田　『しょぼい起業で生きていく』、すごいですね。無名の書き手の本がこんなにも読まれているなんて。

矢内 内田先生に推薦のお言葉をいただきまして、ありがとうございました。

――内田先生やわれわれの世代だと、マルクス主義は基本的な教養で知識人であることと左翼であることは殆ど同一でした。右翼の知識人なんて、いても1人か2人。ところがいまは、そもそもマルクス主義の考え方を若い人は知りません。そこで、マルクス主義の反省及びこれからの可能性、どの部分を継承して、どの部分を変えていくのかについてお聞きしたいんです。矢内さんはもともとマルクス主義の素地があります。ツイッターの「マルクスｂｏｔ」(@KarlMarxbot)と「レーニンｂｏｔ」(@leninbot)も彼が作っているんです。

矢内 はい、実は(笑)。勉強がてらと思って。いま中田先生が左翼の話をおっしゃったので、まず実家の話をします。僕の両親は、東大全共闘の生き残りなんです。

内田 いま、何歳ぐらいなんですか?

矢内 父はもう亡くなっているんですけど、いま生きていれば78歳ぐらいです。僕はかなり遅い子どもで、兄は25歳ぐらい離れています。父は安田講堂事件のとき東大の院生で、その中にいて逮捕されました。そのとき母は東大の1年生だった。その後、「全共闘の生き残りはみんな大企業に就職した」という言説がある一方で、山本義隆先生のように市井にいつづけた人もいましたが、両親はかなり特殊な、毛沢東主義気味の10人から15人ぐらいのノンセクトコミューンというものを維持していて、僕はそこの王子というか（笑）、指導者の子どもとして育てられました。

内田 場所はどこだったんですか。

矢内 最初は埼玉の北本、赤羽を拠点として、沖縄の農村などにもいっていました。そのあと転々とします。私がこの組織の歴史を語ると、「お前は何も知らないだろう」と親がすごく嫌がるんです。つまり情報統制型の組織です。ただ、子どもの立場から事実を見ていて感じることもあるわけで、トップの指揮官が情報を統制して、統一見解を出すという形での左翼は、かなり厳しいものがあると思います。だから統一見解としての「正史」であるかどうかは別にして、私は私の見聞きした範囲のことを存分に語ろうと思っているんです。

そういうわけで、全共闘が終わったあと、といっても親たちの中では全共闘は続いているという認識で、沖縄に行ったんです。当時、沖縄はまだ返還されたか、されないかという時期で、米軍基地をどうするかという問題があったとき、米軍を置いたほうが儲かるのであれば、経済的合理性から米軍を置くだろうと。だから米軍を出て行かせたいのであれば、経済合理的に置かないほうがいい状況をつくればいいということで、沖縄に農業をしに行ったんです。うちの親父がリーダーとなって、東大生や高校生の集団を引き連れて、沖縄で集団農業をして生計を立てていた。私はまだそのころは生まれていないんですけれども。

その後に連合赤軍の事件があって、「あいつらは怪しい」と思われて村八分に遭って、全国を転々として、私がものごころついたころには、東京都内で弁当屋をやっていました。他にもいろんなことをやっていたみたいです。

内田 コミューンは維持したまま？

矢内 はい。コミューンを維持しつつ、移動しながら。

内田 メンバーもだいたい同じで？

矢内 脱落しながらです。

内田 加入はない。

矢内 新規加入はほぼなかったと思います。子どもからは脱落ばかりに見えるのですけれども、要するに後継が育たなかったんでしょう。

6歳ごろまで誰が母親か知らなかった（矢内）

矢内 僕は6歳ごろまで、誰が母親か知らなかった。「お父さんたち」「お母さんたち」という言い方をしていたから。だけど「おはなし」を父にしてもらった記憶はあります。「マルクスという人はね、とても貧乏で、そのせいで娘が亡くなったんだよ」というような。それが『桃太郎』の代わりですね。

内田 桃太郎のかわりにマルクスの話（笑）。コミューンのメンバーはその当時で何人ぐらいいたんですか。

矢内 子どものころは15人ぐらい。現在も存続していますが、メンバーが亡くなったり、離脱したりでいまは8人ぐらいです。

内田 いまはどこにいらっしゃるんですか。

矢内 東京都内で自営業をしながら存続しています。内部では給料などは発生しなくて、財産一元管理です。

内田 原始共産制なんだ。

矢内 そうです。父が亡くなってからは母がリーダーになって、コミューンを指揮しています。

内田 それはまことに希有な家庭にお育ちになりましたねえ。

矢内 その意味では、どうしていいのかわからない（笑）。母からは、あるときには、「お前に継いでほしい」と言われましたし、あるときには、「お前なんか関係ないんだから黙ってろ」と言われる。いろんな意味で成熟していないので、組織はリーダーである母が死んだらどうなるかわからない。本人たちは革命運動を実行中という認識ですが、みんな老いていくわけです。自営業をする日数も、昔はそれこそ365日ずっと働いていたと記憶していますが、いまでは土日は休んで体力を回復しなければ持続不可能な年齢になってきている。だって、もう10年、20年すれば亡くなるような年齢ですから。

そういった中で、私は後継者になることを拒むという形で完全に反旗を翻したと目されていて、母からすれば「私たちのことを語るなんて許さない」と。

内田 なんだか村上春樹の『1Q84』(新潮社)に出てくる農村のコミューンみたいですね。ああいうグループってほんとうにあったんですね。

矢内 そういう中ではヤマギシ会が有名ですよね。ヤマギシ会は、実質的にトップがいないと言われているんですけれども、組織の代表者として名前を連ねている方がいて、その人は、親父がいた青山高校の全共闘の同期なんです。

内田 お父さんは高校生のときから活動家だったんだ。

矢内 青山高校の全共闘からは親父のコミューンに参加した人が何人もいます。そのヤマギシ会の彼は父の青山高校の同期なので、こちらは「ヤマギシ会みたいな反革命団体に行きやがって」みたいなことを言うわけですが、たぶん向こうも同じことを思っているでしょう。

――矢内さんは、たくさんある起業の業態で、最終的には身体を使って働くことが一番大切だと、そういう部分をマルクス主義から継承しています。現在やっていることは芸人的で、これはおまけというか、社会が豊かになって初めてできる、という認識があるところが、いまの若い人たちの中でも違っています。

矢内 労働価値説ですね。

全共闘に欠けていたのは身体性（内田）

――それを継承していくべきだと思うんです。内田先生も、まさにそういう時代を生きてこられましたが、学生運動の失敗は何が原因だったと思われますか。

内田 僕は60年代の終わりから70年代にかけて学生運動、全共闘運動の渦中にいて、活動家たちを間近で見ていたんですけれども、彼らに決定的に欠けていたのが身体性だったと思います。観念性や情緒は過剰でした。あのころは「身体」と言わずに、「肉体」と言っていましたけれど、そのときに言われる「肉体」はどうも生身の肉体のことではなかったような気がします。過剰な政治的観念性と非常に相性のいい肉体性だった。だとしたら、それも恐らく観念だったと思います。だから、「情念」とか「肉体」という言葉だけは行き交っていましたけれど、それは傷ついたり、病んだりする、ふつうの人間の生身の身体のことじゃなかった。

橋本治さんが、1968年に、東大の駒場祭のポスターを描きましたね。「とめてくれるなおっかさん　背中のいちょうが泣いている　男東大どこへ行く」というコピーの。68年というと僕が高校を中退してぶらぶらしてたときで、家出したあと、お金がなくなって、実家に戻り、面目ないままに家の隅で屈託しているとき、新聞で橋本さんのポスターについての記事を見た。それで本物が見たくて、小田急線に乗って駒場までポスターを見に行ったんです。勝手に巨大なポスターをイメージしていたので、本物を見て、「なんだ、小さいな」と思ったんですけど(笑)。でも、見ているうちにすごく救われた感じがしました。橋本治さんのポスターには身体があったんです。観念でもないし、いわゆる「肉体」でもなくて。ふつうの身体があった。そのころの大学祭のポスターって、ご存じないでしょうけれど、毒々しく原色を塗りたくって、やたら画数の多い漢字が書き連ねてあって。大学祭のテーマが漢字で一列に書ききれないくらいに長かった。そういう風潮の中にあって、橋本さんのポスターにはやさしい余白があった。色使いも白、黒、赤、緑の4色くらいで。とにかく過激であればいいという時代でしたから、ささくれだった気持ちをこういうふうに鎮めてくれる表現があるのかと思いました。

ですから、橋本さんは過激なイラストレーターとして登場したというふうに後の世代の人は思っているかもしれませんけれど、それは単品としてポスターだけを見た印象であって、同時代の他の大学祭のポスターの中においたら、一つだけ例外的に穏やかで心を落ち着かせてくれるポスターだったということがわかったと思います。少なくとも僕は「救われた」感じがした。その時に「橋本治」という名前がインプットされた。橋本さんが作家として登場したのはそれより10年以上後の話です。

60年代は、とにかくやかましい時代でした。だから、それに対しては、さらに大音量で言い返すか、耳を塞ぐしかなかった。静かな声で語りかけるとか、微かなシグナルに耳を傾けるとか、自分の中にある微妙な違和感に言葉を与えるとか、生まれたての柔らかいアイデアをていねいに育てるとか、そういうことがほんとうにできない時代でした。

いまにして思うと、身体性というものを僕らは勘違いしていたんだと思います。意識のレベルに上がって、言葉になる手前の、喉まで出かかっているけれど言葉にならない、言葉の前駆形態がいきいきと活動している事態そのもののことを身体というのであって、「これが身体です」と取り出して見せることはできるものじゃない。外形化したり、記号化したり、数値化したりできないものなんです、身体というのは。「見えるもの」ではないんです。生き生きとした身体を感知するためには、心を鎮めることが必要なんです。でも、そういうことが許されなかった。

あの時代に一番欠けていたものは身体性だったと僕がいまあらためて思うのは、「ちょっと待って」という言葉を言わせてもらえなかったということです。とにかく、「待つ」ということが許されなかった。「ただちに決断しろ」、「いまここで行動しろ」とつねに脅迫されていた。「ここがロドスだ、ここで跳べ！」というマルクスが『資本論』で引いた言葉が頻繁に引用されていましたけれど、どんな政治的難問についても、回答を求められたら、その場で即答してみせなければならない。即答できない人間は「ブルジョワ急進主義」だとか「反革命」だとか「スターリニスト」だとか、とにかく一瞬のうちにレッテルを貼られて、「破産してんだよ、おめえは」で片付けられてしまう。すごくストレスフルな状況でした。「ちょっと待ってね」とか「う〜ん、イエスでもノーでも、どっちでもない」という中途半端な表現は許されなかったし、「あなたが突きつける選択肢以外の選択肢を考えちゃダメですか？」という言い逃れも許されなかった。でも、今にして思うと、中途半端であったり、葛藤していたり、いくつかの原理が拮抗していて、にわかには答えが出し難い状態こそが「身体を持っている」ということであって、そこからしか、多数の人間が、それぞれの個別性を維持しながら共生できる環境って生まれないと思うんです。

だから全共闘運動って、いきなり始まって、いきなり終わりましたね。カットインで始まって、カットアウトで終わった。あれは、ロックンロールなんです。67年ぐらいに不意に始まって、71年ぐらいに不意に終わった。生身の身体のうちに根拠を持った運動や組織だったら、もっとゆっくり始まって、運動が限界に当たっても、かたちを変えて、生き延びたんじゃないかと思います。それができなかった。それは「身体を持っていなかったから」ということに尽くされるんじゃないかと思います。

太古の記憶から政治的エネルギーを引き出した（内田）

内田 全共闘運動にも歴史的にはもちろん「始まり」がありました。67年に始まった羽田闘争、エンタープライズ寄港阻止闘争で、僕たちははじめて三派系全学連という組織の存在を知った。革共同中核派と社学同と社青同解放派が三派系全学連を結成したのは、66年ですけれど、僕たち高校生はそんな学生組織の離合集散のことなんか知りません。新聞だって何も報道しません。僕たちにとっての三派系全学連の歴史的登場は佐藤栄作首相の南ベトナム訪問の阻止をめざした67年10月の羽田闘争と、68年1月の佐世保での米原子力空母エンタープライズ寄港阻止闘争でした。

羽田闘争のとき、僕はまだ家出中で貧困のどん底で、テレビのない生活をしていたので、三派系全学連というのがどういうヴィジュアルのものだか見当がつかなかった。でも、エンタープライズのときはもう家に戻っていたので、テレビのニュースで彼らを見ることができました。そして、ほんとうに魂が震えるような思いをしました。60年安保闘争のときの学生たちは学生服でデモをしていましたけれど、三派系の学生たちは、ヘルメットをかぶって、ゲバ棒を持って、赤い自治会旗をかざしていた。

あとから思いついたんですけれど、あれは兜と槍と旗指物なんです。ペリーの黒船来襲のとき、旗本たちが浦賀に駆けつけましたけれど、蒸気で動く砲艦を迎え撃つのに、戦国時代の先祖伝来の甲冑を着て、槍を掲げて、旗指物を付けていた。最新兵器に対して、まったく時代遅れの、まったく無用な武装で応じてみせた。エンタープライズ闘争はその意味でまさに黒船来襲の再演だったと思います。米軍の巨大な空母エンタープライズは黒船そのものでした。黒船が来て、日本を軍事的に屈服させようとしている。ベトナム戦争へのさらなる協力をアメリカは日本に求めていた。もうこれ以上アメリカの義のない戦争には加担したくない、これ以上の対米従属には耐えられないという思いがあのスタイルを選ばせたんだと思います。もちろん無意識にです。

マルクスが『ルイ・ボナパルトのブリュメール18日』で書いているように、まったく新しいことをしているつもりでいるときに、人間は「過去の亡霊」を呼び出し、過去のスローガンや衣装を借用して、借り物の言葉や衣装で世界史の新しい場面を演じる。そういうものなんです。エンタープライズ寄港阻止闘争はマルクスの洞察の最もみごとな例だったと思います。限定的な課題についての、地域的な政治闘争が「世界史的な場面」に転換するためには、そのような「仕掛け」が必要だということを三派系全学連の学生たちはなぜか直感していた。僕が全共闘運動でとにかく「すごい」と思うのはその点ですね。その直感に反応した学生たちが日本列島全体にわらわらと出てきて、その結果、以後3年にわたって、日本中の大学を無秩序状態に叩きこむようなうねりが生じたわけですから。

ですから、さっきの話と矛盾しちゃいますけど、全共闘運動はそのスタート時点においてはある種の身体性があったと言えると思います。自分たち種族の太古の記憶から政治的なエネルギーを引き出したわけですから。そういうことが67年、68年にはたしかにあった。でも、自分たちが借り物の言葉と衣装で過去の出来事を再演してみせたからこそ、圧倒的な政治的エネルギーを喚起することができたという事実に活動家たち自身は気づいていなかった。少なくとも、僕はそういう総括をなし得た人には後にも先にも一度も会ったことがない。僕が知っている唯一の例外が養老孟司先生で、先生は東大の御殿下グラウンドに林立した鉄パイプを見たときに「なんだ、本土決戦のときの竹槍じゃねえか」と思ったそうです。これは炯眼だと思います。

気がつくと、僕たちは過去の亡霊から言葉と衣装を借りて、歴史的な出来事を再演している。でも、そういうふうに人間を衝き動かす無意識的な構造に全共闘の学生たちは無自覚だった。本人たちはまったく斬新な、前代未聞の政治的課題をめぐって、前代未聞のスタイルで闘争しているつもりでいた。そして、やがて、どうでもいいような綱領の違いで殴り合ったり、殺し合ったりして、観念性のうちに埋没して自滅した。身体の古層にわだかまっていた記憶に覚醒したことで始まった運動が、そういう無意識や潜在意識に自分たちが駆動されているということを忘れたせいで終わった。

69年の5月に三島由紀夫が東大全共闘との討議に登場して、「君たちがひとこと『天皇』と言ってくれたら、僕は安田講堂に一緒に立てこもっただろう」と言って、物議を醸しましたけれど、三島は全共闘運動の底流に「無意識的なもの」があることを感知していたんだと思います。学生たちが口にしていたのはマルクス主義の用語ですけれども、ひとりひとりを駆動している感情は思いがけなく古めかしいものであることを洞察していた。

マルクスの話に戻しますけれど、僕のマルクスの読み方は「身体で読む」というものです。マルクスの言葉の中にはマルクスの身体がある。僕が「身体」と呼んでいるのは、さきほども言いましたけれど、言葉になる前の星雲状態の、アモルファスな、思念や感情のざわめきのことです。マルクスの身体からマルクスの言葉が生まれてくる。言葉になったときには、いろいろな夾雑物が削ぎ落とされ、多義的なものが一意化されて、「すっきり」していきます。でも、マルクスをしてある言葉を発させるように仕向けたもの、マルクスをして語らしめた衝動は、出て来た言葉には尽くされていない。それはもっと生々しいものですから。マルクスの身体の中にあるのは、弱者への惻隠の情や、権力者の不正に対する抑えがたい怒りです。あるいはマルクス自身が自分のロジックの跳躍力や自分の文体の疾走感に酔っているところもある。天才というのは、そういうことができるんです。

だから、マルクスを読んで「お勉強する」ということに僕は全然興味がないのです。マルクスの読書会とか勉強会とか、一度も参加したことがない。でも、マルクスを読むのは大好きなんです。マルクスがある一行を書かざるを得なかった必然性は、マルクスの身体の中にあるわけです。マルクスの身体には、僕は自分の身体を通じて繋がることができる。思想にはダイレクトに繋がる回路がありませんけれど、思想を生み出したおおもとの身体にはかろうじて繋がる回路がある。だから、「身体で読む」ということは、国境や時代を超えて可能じゃないかな、という気がしているんです。

矢内 全共闘が始まりにおいて身体的だったというのは、その通りだと思います。父がどういうふうに始めたのかはわからないのですが、母は父の文章を読んで、「これだ」という思いがして、参加せざるをえない状況になったと言っていました。なぜか知らないけど、身体が動いてしまうようなことが、始まりにおいてあった。悪い例では、オウム真理教もそうだったと思います。ただ、それが身体性を離れないようにするには、どうすればいいのか。

私も自分の身体の声が聞けるようになったのは、ごく最近です。内田先生の本を読んだ影響もあるんですが。

革命的であろうとすると個人主義が否定される（矢内）

矢内 個人主義の否定というのが一つの観念としてあって、マルクスは人間を個人ではなく、類的存在であると言います。全共闘もそうで、僕の家でもそうでした。しかも、先ほど内田先生が言われたように、中間地点がないので、ある時期からよく言われたのは、「自営業の売り上げに維持というものはないのである」ということです。売り上げは上がっているか、下がっているかしかない。現在がどっちの時流なのかで二つに分けられると。それはもっともらしいんですけれども、同じ理屈で、革命的であるか、反革命的であるかは、いちばん革命的か、いちばん反革命的かは別にして、どちらを志向しているのかを二極化できるだろう、二つに分けられるだろうと。だから、お前はどっちだと責められるわけです。

革命的・反革命的というのは、マルクスの身体性からくる言葉としてどうなのかはいまだにわからないんです。類的存在としてどうなのか、個人的な人間としてどうなのかと。

僕の家においては、革命的か反革命的かということが測られていて、僕は革命的であろうとしたのですが、すると、現実には、個人主義の否定が行われるのです。個人主義の否定とは具体的に言うと、ある団体やある党では、一つであることが求められます。私はそれをたぶんある種、身体化していたので、結果、何が起きるかというと、他人のことを自分のように扱ってしまう。要するに他人も私と同じように思考して行動できるはずだと思ってしまう。それに基づいて行動して、失敗したことがあるんです。最近ようやく個人主義というか、個人という単位がある種の意味を持っているとわかってきました。

内田先生は身体論として、大脳の命令と身体の種々の命令は違う場合があるとおっしゃっていて、それはすごくもっともだと思う一方で、だったら個人を基本にする必要はないという考えがさらに強固になります。他人が一緒であってもいいだろう。つまり、他人が僕と同時に行動してもいいだろう、加わってもいいだろうと当たり前に考えるので、他人の都合を考えない。実際それをやって、「失敗した」と気づくわけですけど。個人という単位はすごく大事で、たとえば僕が自分を叩いても中田先生は痛くない。この痛いという単位を大事にしなくてはいけない。

私は朝起きるのがかなり苦手なんです。今日はこの対談を楽しみにしていたから起きられましたが、普通ならまずムリです。夜遅くなら午前2時とか3時でも大丈夫なんですけど。でも社会一般においては、朝起きることを求められます。実家でも、学校や会社においてもそうです。僕は朝起きられないから、午前中の仕事をなるべくはずして、午後2時から仕事を始めようと決心したら、すごく楽になりました。でもその流れで、たとえば夜11時に仲間たちを招集していると、ほかの人たちにとっては大変に厳しいと気がついた。要するに組織論として。

それからは政治的な何かパッとしたことができるとしても、それを身体性に依拠しないやり方ではやってはいけないと思っています。個人の思考と身体が統合したところの個人の欲求をできるだけ聞いて、その最大公約数となる点でしか、共闘はできないだろうと。だから個人の適性をよく見るようにしようと思っています。たとえば僕の仲間の木村は、永久にクルマの運転ができるんです。

内田 永久にできるんだ（笑）。

矢内 本当に何時間でもできるんですよ。3日間ほとんど寝ずに運転して、僕が「ちょっと休んだほうがいい」と言ったら、「じゃあ休みますわ」と言って5分寝て、また運転する。私にはとてもできないのですが、ただし彼は電車に一切乗らないんです。

それくらい人間というのは多様です。左翼は、多様性を尊重するとか、保守派の小池百合子も言っていますけど、多様性の尊重というのは言葉では測れない、とても重い言葉です。

内田 そうですね。

自分の想像で多様性を設計すると危ない（矢内）

矢内 想像もつかないようなことを包摂していくのが多様性ではないか。自分の想像で多様性を設計すると危ないと最近すごく思っています。

内田 その通りだと思います。僕も理解と共感の上に共同体を築くという考え方には反対なんです。逆に、理解も共感もできない人だけれど、限定的なことについては一致できる人と共生できるし協働できるということの方がずっと重要だと思っています。それが集団の基本なんじゃないでしょうか。

よくわからない人たちが集まった共同体でなにごとかを達成した。その果実はみんなで分かち合った。でも、相変わらず横にいる人が何を考えているかはわからない。この人の行動原理が理解できないし、感情にも共感できない。でも、理解も共感もできない人間と、それにもかかわらずある場を共有して、あるタスクを協働的に達成することができた。それなら、その能力の方が他者を理解し、共感できる能力より、人間的能力としては質が高いんじゃないかと思うんです。理解と共感をまず確保して、そういう人たちでチームを作って、それから事業に取り組む……という発想は、僕には非効率的に思えるのです。

矢内 その通りです。

内田 いまの中等教育を見ていて一番いやな感じがするのは、共感の過剰な強制ですね。小学生ぐらいまではけっこう面白かった子たちが、中高6年間を終わったあと、18歳になって大学に来るころには、本当につまらなくなっています。それは6年間にわたる共感度訓練が原因じゃないかと僕は思っています。

まず男女ともに、中学生ぐらいから、異常にやりとりが速くなる。打てば響くといった感じになる。でも、その反面、使う語彙がどんどん限定されてくる。イントネーションも、話し方も、表情や服装までも、どんどん、お互いに似てくる。相互模倣によって個体識別できなくなった子どもたちが打てば響く、ツーと言えばカーというようなやりとりを超高速で行っている。その状態を、彼らはどうやら「コミュニケーションがうまくできている」ことだと錯覚しているらしい。波長が合わない人間とか、異論や違和感を表明したりする人間はコミュニケーションの妨害者として、ただちに弾き出される。

いま中等教育でいじめがすごく問題になっていますけれど、いじめって、「異分子を排除する」というよりも「共感度を高めよう」という努力に起因するんじゃないかと思います。みんなでもっともっと一つになろうよ、みんな同じ感覚を持とうよ、それがすばらしいことなんだよ、という同質化圧力が高まりすぎて、しだいに集団が痩せ細っていく過程で、それについていけない人が排除されてゆく。

そのメカニズムを駆動しているのはある種の善意じゃないかと思うんです。「変なやつを排除しよう」ではなくて、「もっともっと一体化しなければ」という善意。これがいま日本中に取り憑いている、何かすごく深刻な病のような気がするんです。

誰と結婚したっていいじゃない（内田）

内田 結婚する人がすごく少なくなっているでしょう。男性の生涯未婚率がいま、24・3%。男性の4分の1が生涯未婚です。この比率がますます高まっている。少子化の理由は、結婚しない人が増えているからで、結婚しないのは、たぶん結婚の前提に、理解や共感があるからだと思います。生涯にたった1人の理想の配偶者と出会って結婚しなければならないというロマンチック・ラブ・イデオロギーが結婚を妨害している。

これ、まったく間違いだと思う。誰と結婚したっていいじゃないですか（笑）。どうせ相手はよくわからない人なんだから。100年の恋のつもりで結婚してみたら実際はなんだか全然わからない人だったということなんかよくあるわけですよ、結婚では。だったら最初から、理解も共感もさっぱりできないけれども、もののはずみで一緒になっちゃったので、このよくわからない人と一緒に、協働作業で何かを仕上げていくということができたらいいな、と。それこそが奇跡的な達成だというふうに発想を切り替えていったら、みんなもっとお気楽に結婚できると思うんです。

矢内 まったく同感です。僕も全然知らない人と結婚しましたから。出会って2日で婚約して、その2週間後に実際に結婚したんです。

内田 それはすばらしい。

矢内 妻は会社に勤めていたんですが、会社がすごくつらいから辞めたいんだけど、実家と折り合いが悪くて、辞めたら死ぬしかない、みたいなことを言っていた。僕は生活保護の随行のボランティアをしていたので、それだったら実家に連絡されずに生活保護を受けられる方法を教えてあげなければとまず思ったわけです。だけど、初めてデートしたときにそういう相談をされて、初めてデートした人と生活保護の申請に行くのもちょっと変だと。

内田 (笑)

矢内 そう思って、「結婚する?」と言って、結婚したわけです(笑)。

内田 面白いですねえ。会って、2日目にデートして?

矢内 会って、次の日にデートして。その次の日に婚約しました。

内田　デートのときに話を聞いて、これは生活保護の申請をしたほうがいいと思い、でも最初のデートでそれを提案するのはどうかと思って、それを言うよりはプロポーズをしたほうがいい、と。

矢内　その通りです。

内田　なるほどねえ。いい話ですよ。

矢内　だからＬＩＮＥのやりとりも全然ロマンチックではなくて、事務的でした。たとえば言っておいたほうがいい病気はあるか、実家との関わりはどうしたいか、あるいは信仰している宗教はあるかとか。そういうことだけを話して、お金のことは全然話さず、基本的にはなんとかするからと言っていました。本当はそのとき、なんとかなる収入なんて全然なかったんだけど（笑）、なんとかなるかもしれないと結婚して、２人とも子どもはほしいと思っていたので、すぐに妊娠がわかって、その息子がいま2歳を過ぎました。内田先生の『困難な結婚』（アルテスパブリッシング）にもすごく感銘を受けたんです。

内田　そうだったんですか。ありがとうございます。

矢内　それで自分も最近『しょぼ婚のすすめ』（ＫＫベストセラーズ）という本を書いたのですが、結婚というのはお互いの卑近な違い、すごくどうでもいいような違いがクローズアップされますね。僕はお風呂に入るとき、先にからだを洗わずに、いきなり湯船に入ってしまうんですよ。そのことで結婚当初、すごくもめました。妻は先にからだを洗うので、僕に「洗ってよ」といい、僕は「風呂できれいになるんだからいいじゃないか」という。でも「どっちが多数派だ」とか、データを出してもしょうがない。互いにそういう文化なわけですから。

どうしようかと思っていたときに、妻のほうが先に風呂に入ればいいじゃないかという折衷案が出てきた。妻が僕より先に入浴して、体を洗ってから湯船に入り、私はその後に入って、お湯で温まってからからだを洗えばいいわけです。この案が、「風呂に入るのがいやだなあ」と思っている2週間ぐらいのうちに、どちらからともなく出てきた。そういうことの連続で結婚が成り立っている。他者との共生ってすごく面白いなと思いながら過ごしています。

内田 うちは奥さんが「床族(ゆか)」なんです。女性にはけっこう多いみたいなんですけどね。ほっとくと床で寝る人なんですよ。布団に寝ないで。僕は朝が早起きなので、僕が起きてくると入れ替わりに布団で寝る（笑）。電気はつけっぱなし、テレビもつけっぱなし、行き倒れているかのように寝ている。

結婚して最初のうちは注意したんです。そんなふうに床に寝るのはよくないよって。風邪ひくし。硬い床に寝たんじゃ、疲れもとれないし、よくないよ、と。でも、何度注意しても直らない。結局、ニューギニア高地人とか、そういう感じの「床族」という種族がいて、その一人なんだと思うことにしました（笑）。

聞いてみたら同じような人、けっこう多いんですよ。ものすごくアクティブな人たちって、エネルギーが切れるまでずっと外で活動して、倒れるまで起きているので、もう寝なくちゃいけないという時点では、風呂に入るとか、歯を磨くとか、パジャマに着替えるといった就眠儀式をこなすエネルギーが残っていない。だから、まずちょっと床でひと眠りして、エネルギーをそこで補充して、それから本格的に寝る態勢に入る。だから本人は1時間ほど仮眠したらちゃんと布団で寝ようと思っているんだけれど、そのまま8時間寝てしまった、と。

世の中にはそういう奇習を持つ種族がいると思って暮らしていると、あまり気にならなくなるんですよね。

どんなことがあっても「こういう人、いるよね」と思ったほうがいい（内田）

内田 結婚生活にはそういうことが無数にありますよね。うちの奥さん、掃除もよほどのことがないとしないです。だから、この人は「床のゴミが目に入らない族」だと、また新たなカテゴリーを設けたら、これもぜんぜん気にならなくなった。人はすべからく夜は布団で寝るべきだとか、すべからく床のゴミを見たら拾うべきだと思っていると、そうしないことが非常識だと思ってしまう。それはよくないです。多様性を認めましょう。

矢内 その通りだと思います。

内田 結婚している2人って、それぞれにとって相手は少数民族なんですよ。僕は奥さんのことを少数民族だと思っているし、奥さんも僕のことを少数民族だと思っている。いくら言っても直らない不思議な習性を刷り込まれていると思っている。そうですよね、お酒飲んだり、煙草吸ったり、毎晩バカ映画観たり、嫌だ嫌だと言いながら、仕事をどんどん引き受けたりしてるんだから。どう見ても「奇習」の人ですよ。家族はみんなそれぞれにとって少数民族なんですよ。だから、自分とは違う種族の奇習に対してはオープンマインドに接しようじゃないか、と。自分の「ものさし」で良し悪しを言うのは止めましょう、と。そういうふうに考えるのが一番いいと思いますよ。

僕の娘はもう36歳なんですけれども、いまだにほんとに不思議な子だなあと思っています。でも、娘のことが理解できないからって、頭を抱えるということはありません。だって、「理解できない」というのが前提なんですから。何考えてるかわからない……といつも思っているから、時々ちょっと話していて、「あ、それ、わかる」というところがあるとすごくうれしい。

いま、2人で往復書簡の本を書いているんです。これが、すごく面白い。「お父さん、昔私にこんなこと言ったでしょ。あのときすごく傷ついたんだ」、「すみません」というようなやりとりをしているんです。「僕はあのとき、君のことをこんなふうに考えて、こんなことを言ったんだけど……」、「それは勘違い。あれ、すごくいやだった」とか（笑）。30年前の出来事の隠された意味が次々と明かされてきて……。僕たち親子はすごく親密で、理解し合っていると僕が思っていた時期に、絶望的なまでの感情的な齟齬があったという事実を後から教えられて。親子ってほんとうに理解し合っていないんだなとしみじみ実感しました。でも、逆に言えば、あれだけ齟齬があっても、それなりに愉快に暮らしていけたんだから、家族というのはなかなかタフな制度だと思います。

——共感を求めるのは本当に多くて、ツイッターでも「私は傷ついた」という人が多い。それが私にはよくわからなくて、「だから？」と思ってしまうんですが（笑）。そう言われたら謝らなければいけないような文化になっています。

内田 そうですね。あなたはどういう気持ちで言ったかわからないけど、私はあなたの言葉で傷ついた、謝れ、みたいなことがよく言われますね。

——でも、それって謝るほうもわけがわからないわけですから、結局、謝るほうの言葉にも意味がない。「傷ついたことについては謝ります」と、まさにいまの政治家の答弁のようになってしまうんです。

内田 そうですね。

——一回、人間同士は理解できないことがデフォルトにならないと。そうすると時々理解できるとうれしくなる。

内田 「時々理解できるとうれしい」くらいをデフォルトにして、9割方は理解できないと思ったほうがいいんじゃないですか。

共同体の基本は参加者全員が持ち出し（内田）

矢内 先ほどのゴミの話でいうと、うちではルールを一つ決めているんです。つまり、気になったほうが片づけるということですね（笑）。洗い物とかも気にならなければ、ずっとそのまま置いておいてもいい。「さすがにこんなにためてしまったらまずいだろう」と思ったほうに、洗う義務が生じる。

内田 そうですね。

矢内　気になるけど自分はできないとか、時間がないというときは、相手にお願いするということに全面的にしています。食事作りなども含めて。やっぱり相手が子どもとなると多少違った部分も出てくるんだけれども、夫婦関係とか、あるいは多様を重んじた共同体をつくろうとしたときに、そういうことはすごく重要でしょうね。

内田　共同体の基本は、参加者全員が「持ち出し」ということだと思います。でも、実際には、「俺は持ち出しだけど、みんなは取り過ぎだ」、「俺だけが損をしている、割を食っている」、「あとの連中は俺の持ち出し分でいい思いをしている」と全員が思っているんです。みんなを仲良くさせるために、あれこれと見えないところで心を砕いている人だって、これだけ自分が努力しているおかげでこの集団がかろうじて成立しているのに、どうしてみんなは自分にもっと感謝しないんだ、とちょっとは怒っている。でも、「見えないところ」でしているる気づかいは、やっぱり見えないんですよ。そういうことを主観的には全員がやっているわけです。みんなが「オレは見えないところで気づかいしているのに、それに対する感謝が足りない」とちょっとずつ不満に思っている。そういうものなんですよ。

だから、それが「ふつう」だということにすればいい。共同体というのは、基本的に「持ち出し過剰」で、自分の「割り前」の戻りはないものだ、と。そう思えばいい。出てゆくだけで、それと等価のリターンはない、と。そう思ったほうが気が楽だし、共同体もうまくゆく。お金を出す人もいるし、気をつかう人もいるし、ゴミを拾う人もいるし、それぞれの「持ち出し」のありようは違うんです。だから、出した分だけの割り前が戻ってくるということはあり得ないんです。

自分にはわりと簡単にできるけれど、他の人たちにとってはけっこう難しい仕事というのがありますね。それを担うのが共同体に貢献する仕方だと思うんです。自分には選択的にある種類の仕事については能力や適性がある。そういうものは「持ち出す」ためにあるんです。天賦の才能というのは、自分のために使うんじゃなくて、人のために使うように、天から贈られたギフトなんですから。みんなが自分の「ギフト」を差し出す。すると、みんなのギフトが供託された場所ができますね。そこに「公共」というものが成立する。それが近代市民社会論の基本的なアイデアだと思うんです。自分の持っているもの、私財や私権を公共的な場に供託して、それが足りなくて困っている人に使ってもらえるような仕組みを作ること、「入会地(いりあいち)」みたいなところに、みんなが余らせている資源を集めて、必要な人が使えるようにしておく。そこで初めて公共が立ち上がる。だから、私財の「持ち出し」でいいんですよ。

矢内　そうですね。

内田　もう5、6年前かな。NHKで『ニッポンのジレンマ』というお正月の討論番組があったんです。見ていたら、若い人たちがずっと年金の話をしていて、正月早々なんだか気分が滅入ってしまったことがありました。どうやって自分たちが払った年金や税金を自分たち世代のために使わせるかということをすごく真剣に話していた。自分たちの割り前をどうやって回復するか、いまの制度のままだと、自分たちが払った分が戻ってこないじゃないか、こんな制度は理不尽だって、怒っているんです。

でもね、「公共」というのは、どれだけ公共から「自分の取り分」を奪還するかではなくて、どれだけ手持ちの資源のうちから公共に差し出せるものがあるかを考えるところから始まるんです。絶えず公共の場に手持ちの資源を供託し続けるダイナミックな運動によってしか共同体は成り立たない。どれだけ自分の本来の取り分を回復するかをまず考えるという人たちは、公共というものが、自然物のようにあらかじめ存在していると信じているらしい。でも、そんなはずないじゃないですか。公共って、そのつど創り出されているものなんだから。集団成員たちが「公共からの奪還」を「公共への供託」より優先させたら、あっという間に公共は瓦解してしまう。

ときどき政治家が「国民は国に尽くすべきだ」とか言いますけれど、そういうことは自分の私財や私権をきっちりと公共に差し出してから言えよと思いますね。脱税したり、賄賂もらったり、公権力を利用して私腹を肥やすような人間に公共を語る資格はないです。

金をよこせという運動家は自分のお金を出していない（矢内）

矢内 ほんとにそう思います。僕も独自で左翼的な活動をしていて、奨学金の給付を働きかけることもしたんだけれども、いまは一切、関心がないんです。なぜかというと、「自分で出せばいいじゃない」と思ったんです。

内田 自分の金を出して奨学金にしろ、と。

矢内 自分の金を好きな学生にやる、でもいいし。

内田 別に相手は1人でもいいからね。

矢内 基金を作ってもいい。もっと時給を上げろ、金をよこせという運動をしているような、いわゆる左翼運動家は、誰も自分のお金を出していない。

内田 ずっとツイッターでそれ言ってるね（笑）。

矢内 もうずっとツイッターで論争しています。「あなたがやればいいじゃない、まず」と思うんです。相対的貧困が問題だと言うなら、相対的富裕のあなたが、いま目の前の相対的貧困の1名に何かをあげれば、少しは是正されるけど、なぜしないのかと。結局、他の人に出せと言っているだけで、そこを突くと、いろいろ理屈をこねる。自分だけやっても公共にならないとか、国を通して適正化するとか。だけど、中田先生のように自分の生徒に月5万円出していた人もいるんです。それを目の前で見ていると、何言っているんだろう、この人たちはと思います。

でもこれが大変難しいところで、国を通す必要もあるんです。僕も独自で奨学金を出そうとして、ぜひとも学問を修めてほしいと思う学生に「僕は月1万円なら出せる」と言ったら、「自分は幸いからだが健康なのでアルバイトもできるし、親からもお金がもらえるし、大丈夫です」と断わられたんです。

ほかにも、私的に奨学したい学生は、だいたいお金に困ってないというジレンマがあります。確かにその意味では、国とか大きな機構を通して、自分が奨学したいと思わない学生でも芽が出るような機会をつくるのは重要だとは思う。でも、左翼運動家にそれを言う資格があるのかと思ったりもするので、それなら独自でやるしかないと。子ども食堂とか自分でできる範囲でやろうと思っています。

内田 それ、両方が要ると思うんです。『空想から科学へ』で、エンゲルスは空想的社会主義者のことをずいぶん悪く言ったけども、ロバート・オウエンは数千人規模の共同体を創って、そこで実際に工場を作って、雇用を創出し、住宅や学校や病院を作って、小さいながら理想の共同体を創出したわけです。でも、個人の善意によって数千人規模の理想郷なんか作ってみても、プロレタリアが収奪されている社会構造そのものには何の変化もない。局所的に理想郷を作ってみても意味はない。それは社会全体を一挙に理想的なものにする階級闘争の足を引っ張ることだと、エンゲルスに批判されてしまったわけですけれど、僕は両方やればいいいと思います。空想的社会主義者は手近なところに収奪も抑圧もない共同体を作ればいい、科学的社会主義者は社会全体を一気に公正なものに変える闘争に励めばいい。局所的に理想郷ができると、階級関係の緊張が緩和されちゃうから、労働者たちは不幸なままにしておけというのは筋違いだと思います。

今の日本に足りないのは、オウエンのような生き方なんですよ。財力があって、政治力がある人は、日本全体を良くしようと思ったら、まず自分の身のまわりにいる人たちがそれなりに幸福で、愉快に暮らせるような環境を作ればいい。その限定的な空間においては、とりあえず常識が通用し、条理が通る。それが達成できれば、満足していいと僕は思いますよ。「この共同体のメンバーの5000人についてだけは俺がとことん面倒見る」というような篤志家が日本のあちこちに出てきて、それがゆるやかなネットワークでつながれたら、いつのまに社会全体が割と住みやすいところになっていた……ということだってあり得るわけでしょう。

矢内 そっちのほうが現実的な気がすごくしています。

内田 全社会を一気に根源的に改革するよりも、小さいけれど、さしあたりそこではものごとの条理が通る公正な共同体をこつこつ創ってゆく方が話は早いと僕は思います。サイズも違うし、機能も違う大小さまざまな共同体が混在しているという状況を経由して、社会全体がゆっくり変わってゆくという方が、時間はかかっても確実だという気がしますね。

矢内 先ほどの持ち出しの話でいくと、そもそも自分のからだがもらいすぎだと思うんです。いま現在、ある程度の収入があって、四肢があって、一応脳みそも働いて、しゃべることができる、手が動かせる。そのこと自体がどこからかわからないけれど、与えられたものだと。たとえば家庭環境にしろ公教育にしろ、少なくとも自分ひとりで勝ち得たものではなく、持ち出しをもらってきたんです。

たとえば、私は結婚をすごく人に勧めるんですけど、結婚して妻や子どもを養ったら、自分の使えるお金が減ってしまうと言う人がいるんです。その人に、お前はどうやって育ってきたんだよと。独身貴族だと言っても、おまえこそ、もらいすぎではないかと。だって赤ん坊のときは自分で餌をとれないわけですから。

うちの子どもがアンパンマンが好きでよく見るんですけど、アンパンマンのどこがすごいかというと、お腹がすいた人に自分の顔をちぎって渡すんです。

内田 究極の「持ち出し」だよね（笑）。

矢内　だから、そもそも自分のからだがあること自体、いまこの世界に存在していること自体、僕の生まれた1990年以前にはなかったことですよね。それはどこかから持ち出されてきたエネルギーなわけです。与えられた能力、つまり持ち出す力がなければ、持ち出しようがない。だから、できる範囲で持ち出さなくてはいけないと思いながら過ごしているわけです。そのために一生懸命やってやろうと思っています（笑）。

貧困をゼロにしようとすることが社会として不健康（矢内）

矢内　いま、新しく関わろうとしていることがありまして。特別養子縁組の仲介をしようと思っているんです。

内田　突飛なことを思いつく人だなあ（笑）。それは後継者の問題としてですか。

矢内　いや、どちらかというと出生率や虐待の解決としてということです。アメリカに比して日本というのは非常に特別養子縁組の比率が少ない。それでその仲介をNPOでやっている方がいて、そこから頼まれたんです。頼まれたのも縁だと思って、やろうと思っているところなんですけれども。その本もいま執筆中ですが。

　児童養護施設などには子どもが大勢いて、引き取りたいという人も大勢いるらしいのですが、児童養護施設側が断わる。親の適格を非常に多く要望するんです。民法では、特別養子縁組をする要件は25歳以上の夫婦であることだけなんですけど、仲介するＮＰＯが、収入はいくら以上とか、面談を何回以上重ねなければならないとか、いろんな条件をつけて厳しくしています。減点主義なんです。児童養護施設側としては、特別養子縁組をしても、それが虐待になっては大変だということなんですけれども。

私としては、養子縁組先で子どもが虐待される可能性をゼロにはできないと思うんです。たとえばいろんな宗教家の話を聞いている中で、あそこはカルトだと言われる場合、二つ種類があると思っています。具体的な団体名は言えないのですが、信者の数が多いから、結果的におかしい人がいる場合と、組織的に全員がおかしい場合。

だから特別養子縁組も、増やしていけば問題が起きるに決まっています。だけど特別養子縁組自体が悪いわけでもないし、特別養子縁組を仲介したところが悪いわけでもない。数が多くなればそういうことが起きるのは当然です。だけど、問題が起きると責められてしまう。

この失敗を責めるという風潮に対しては、友達の医者もすごく不満を持っています。１００を予防した人は褒められないけど、１を治した人は褒められる。これじゃあ非常に非対称だと。

内田　いや、ほんとにそうだと思う。予防と対症という話をすると、予防のほうが圧倒的にコスト・パフォーマンスがいいんです。でも、予防のために骨を折る人はあまりいない。それは何を予防したのか可視化されないからです。災厄を予防した人って、いわゆる「アンサング・ヒーロー（unsung hero）」なんですよね。その功績が歌に歌われることがない英雄。そういう予防的英雄がたくさんいた方がもちろん社会は住みやすくなるんですけれど、そうもゆかないのは、自分の功績が可視化されないことを嫌がる人がいるからです。

アメリカがそうなんです。あそこは移民社会で、生活文化がぜんぜん違うエスニック・グループが共生しているので、自分がどれだけ「いいこと」をして集団のために貢献したのかということは誰にでもわかるように可視化してあげる必要がある。だから、どうしても文化そのものが予防的ではなく、対症的なものになる。事故やトラブルが起きるのを「未然に防ぐ」ということにはあまり資源を投じない代わりに、どんなトラブルが起き得るかについての予測には努力を惜しまない。「こういうことが起きたらこう対処する」ということについては精密なマニュアルを作成する。そして、てきぱきと処理する。ですから、アメリカでは「最悪の事態」を想定する能力は高い社会的評価を得ることができるし、最悪の事態が起きたときに、てきぱきと適切な行動をとることができる人間を高く評価する。

だから、映画を観るとわかりますけれど、アメリカン・ヒーローは全員が「対症のプロ」

なんです。「予防のプロ」というのは絶対に出てこない。ヒーローたちは巨大な災厄の到来を未然に防ぐということには、ほとんど1ミリも努力しないで、代わりに災厄が到来した後はまことに適切に行動する。

でも、本来は「今日は何も起きませんでした」というときにこそ、何も起きないように水面下で働いてくれた人たちの英雄的努力を称賛すべきなんです。ほんとにおっしゃる通りなんです。100のトラブルを予防した人は称賛されず、1のトラブルを解決した人は英雄視される。

矢内 あと、今言われたように、養子縁組制度でも、サンプル数が多くなれば、必ず異常なふるまいをする個体が入り込んでくることは防ぎようがないんです。でも、それは限定的なケースなんですよね。標準的なふるまいをする個体数に対して、異常なふるまいをする個体数って、ほんとうに少ないんですから。

内田 そうなんです。だから私も最近、日本に貧困なんか存在するか、と言って。

矢内 炎上してましたね。

炎上したんですけれども。餓死する人って二十何人かはいると思う。1億人もいれば意味不明の理由で外に出なくて、ずっと家にいて死んでしまう人だっているでしょう。それをゼロにしようとすることが社会として不健康だと思う。そういう話なのに、お前はゼロをめざさないのかと責められるのは、なかなかすごいことです。

そこをどうやって解決するかというと、やっぱり商業だと思うんです。商業ベースに乗せてしまうということ。要するに商売であれば100やって1失敗しても、99儲かったら儲かったことになる。1の失敗はコストに収められるというのが非常に大切。その結果として、先ほどの株式会社も私は儲けていいと思うし、それで結果的にトップが豪勢な暮らしをしていても、別に問題はないと思います。商業のベースに乗せて、「あれはいいな」と人が思うことが重要で、それは高潔なトップよりも、「あのトップのようになりたい」と思われることのほうが、もしかして重要なのかもしれないと。

内田 ZOZOというところとか。

矢内 ZOZOTOWNの前澤友作さんですね。総額1億円のお年玉として、自分のツイートをリツイートした人100人に100万円配るといったのは、鮮やかだと思いました。結果的にどうかわからないけれども、顧客候補は増えるわけですから。100人は自分が好きなように選ぶのはどうかと思いましたが、鮮やかでした。

――矢内さんの1000円のお年玉もずいぶん鮮やかでしたよ（笑）。

矢内 前澤さんが100万円を配るなら私はどうしようかなと思って、1000円を配ったんですよ。いろんな人に配りました。中田先生や島田裕己先生にも。

――島田先生も、「お年玉をもらうのはもう数十年ぶりだ」とおっしゃっていましたね。

内田 お年玉？

矢内 そう。お年玉を。1月15日ぐらいだったら内田先生の家に持っていこうかと思ったんですけど。ZOZOTOWNもあまり批判すべき点はない、別にいいんちゃうかな、と思う。藤田孝典さんは、「外部にお年玉を配るくらいならZOZOTOWNで働く非正規雇用者を何とかしろ」と言っていますけれども、派遣会社が必要な面もありますから。中間搾取と言われても、実際、経営者からすると、今日労働力が何人足りないというとき、すぐ人を集めてくれるのは助かるでしょう。そうしなければ仕事が回らないときがある。

内田 口入れ屋というのは昔からずっとあるわけだからね。

矢内 あれを悪いと言っても始まらない。そうしたら、あなたがより安い人工(にんく)集めになってください、となりますので。派遣会社はよくない、派遣社員はよくないという攻撃の仕方は意味がないと思います。

働き方の複線化をしたら何が起きたか？（内田）

内田 僕は派遣に関しては、大学できつい教訓を得ました。十数年前のことですが、それまでは大学職員はほとんどが専任で、限定的な仕事についてバイトの子たちが何人かいるだけだった。そこに「雇用条件の複線化」ということを総務部が言い出してきた。専任とバイト以外に、派遣とか契約とか、いろいろなカテゴリーをつくって、それぞれ雇用条件を変えよう、と。世の中には週3日だけ働きたいとか、半年だけ働きたいとか、いろいろ希望があるんだから、多様な働き方を提供しようというのです。それだけ聞くと別に悪い話じゃない。「いいんじゃないですか、別に」ということになった。

僕が教えていた神戸女学院大学というのは、女性職員は全員が卒業生なんです。専任職員も、契約職員も、派遣職員も、アルバイトも、全部卒業生。みんな優秀で、雰囲気もけっこう似ているから、教員からすると、誰が専任で誰が派遣で誰がバイトかなんて個体識別できない。専任職員の年収はバイトの年収に比べたら、それこそ10倍くらい違うわけですけれど、働いている姿は外から見ると識別できない。仕事を頼むと、気楽にすぐにやってくれる人がバイトで、腰の重い方が専任だったりする。

そういうことが数年続いて、何が起きたかというと、「なんだみんな同じじゃないか」ということになった。ですよね。そうするとそこから出る結論は「だったら、バイトにももっと高い給与を出してあげよう」じゃなくて、「専任職員なんか要らないじゃないか」なんです。「同一労働・最低賃金の法則」です。同じような仕事を給与形態の違う人たちに頼んで、出て来たアウトカムに差がないと、「高いほうはもらい過ぎだ」ということになる。「派遣やバイトの子たちの待遇をよくしよう」じゃなくて、「専任を減らそう」という話になった。そして、実際に正規雇用を減らして、非正規雇用を増やしたので、人件費コストは大幅にカットされました。最初に「働き方の多様性」という美辞麗句で提案されたときには、まさか人件費カットのための深慮遠謀だとは気づかなかった。でも、そうなんです。雇用条件の違う人たちに同じ職場で、同じような仕事を任せると、「一番安い賃金が標準で、それ以上の賃金はすべてもらい過ぎ」だという印象がいつの間にか刷り込まれる。

矢内 確かにそうですね。どうなったらいいでしょうね。

内田 多様化するときに、ただ就労の日数や年限だけではなくて、雇用形態が違うごとに仕事の内容をはっきりと変えるべきだったんでしょうね。職域を変え、権限を変えて、仕事の種類を切り分けて、外から見て、すぐに識別できるようにしておかないと、いずれ必ず「バイトだけでいい」ということになる。いまは正社員が誰もいなくて、全部バイトで回すコンビニだっていっぱいあるわけでしょう。

――一番目の人間は必要でなくなるんです。

矢内 そうだよね。

内田　そうやって人件費がどんどんカットされて、そうやって浮いた分は内部留保や経営者の給与や株主配当に回された。労働分配率は低くなって、賃労働者はしだいに貧乏になってゆく。でも、そうなったら市場もシュリンクするから、いずれは経済活動全体が勢いをなくしてしまう。少し長いスパンで考えたら、できるだけたくさんの人に高いお給料を払って、消費活動を活発にしてもらう方が資本主義的にはいいことなんですよ。でも、そうならない。だから、いまの日本のビジネスマンたちは本当の意味では資本主義者じゃないと思いますね。いわば「末期資本主義者」なんですよ。もういまの資本主義システムはあと何年ももたないと思っている。だから、いまのうちに稼げるだけ稼いで、自分の懐に入れておいて、システムがつぶれたときに、自分だけはそこそこの財産を持って修羅場を逃れようとしているんだと思います。資本主義の延命ということはもう考えていませんね。

第2章

しょぼいビジネス、まっとうな資本主義

私は資本主義をもたらしに来た（矢内）

矢内 いま、末期資本主義というお話が出ましたけれども、だからこそ私は資本主義をやろうと思っています（笑）。私は資本主義をもたらしに来たと、何回も言っています。

内田 資本主義の伝道者ですね（笑）。「まっとうな資本主義」を再生します、と。

矢内 だからやっぱり闇市をやりたいんです。というのは、何か始めようとすると、すぐ「許可はあるのか」と言われるんです。あれはすごくよくない。商売って、基本的には何をしてもいい。資本主義って、そこらへんでものを売っていいというのが基本なんです。でも例外として、食中毒とか火事などの事故対策ができていないと公共に危険が及ぶ場合があるから、一部は営業許可を取らないといけない。食品衛生法や弁護士法、医師法にしてもそうだと思います。でも原則は何をやってもいい。

『ポケモンＧＯ』というスマホゲームが流行ったとき、公園に出没する珍しいモンスターを捕まえに来たけど、スマホの充電が切れそうになった人のために、10分１００円とかで充電させている人がいて、すげえいいと思ったんですよ、僕は。

内田 賢い人がいるね。

矢内 そうしたら「こんな商売をしているやつがいる」とネットにさらされて、「許可はあるのか」と非難されていた。公園管理者が「公園で商売をしてはいけません」と書いてない場合もあるけど、本当は何か許可がいるんじゃないのかと。

内田 そういう発想をするんだ。許可はもらったのかなんて……、よくそんな底意地の悪いことを思いつくなあ。

矢内 そうなんです。すごく深い病だと思いました。

内田 それは病んでる。ほんとに病んでると思う。

矢内 大阪の西成区には闇市があって、いわゆるドヤ街に住む人たちが道路を占拠して、早朝4時から5時ぐらいに露店を出しているんです。泥棒市なんて呼ばれるくらい、わけのわからないDVDとかを売っていますが、私はあれが大好きで。でもすぐものが盗まれる。だから西成に精通している友達曰く、何かものを預けておきたかったら、そこらへんに放っておけば、それが翌朝売られているから、それを買い戻せば手荷物預かり所に預けるより安いと言ってました(笑)。

その闇市が摘発されたんです。海賊版のDVDを売っていると、要するに道路でものを売っているとのことで摘発されたんです。

内田 道路交通法違反だと。

矢内 はい。道交法というのは道路にものを固定してはいけないという決まりなので、行商はいいんです。移動しながらものを売るのはＯＫ。

内田 焼きいもとかはいいのね。

矢内 焼きいもは、食品衛生管理者の資格が必要です。

内田 あれも許可がいるの？

矢内 自分で食品を調理しているので。蓋が閉まっているコカ・コーラなら許可はいらないんです。だから私、コカ・コーラや他の飲み物をリヤカーに載せて売り歩いたことがあります。反応がみたかったんです。そしたら子どもたちばかり来て、大人には相手にされませんでした。やっぱり資本主義をもたらすなら、闇市をやらなくてはいけないなと。

内田 どういうふうにやるの？

矢内 リヤカーにものをいっぱい積んで売り歩くとか。リヤカーなら移動できるでしょう。道路交通法違反になるのは、移動せずに占拠することなので、タイヤがついてればＯＫなんです。ただ、あまり経済合理性がないので、私がやるかどうかはわからないのですが、資本主義をもたらすときに、そういうこともやるべきと思うんです。それで「許可取っているのか」と言われたら、「何の許可だよ！」というパフォーマンスをすると、教育的効果があるかもしれない。単なる頭のおかしいやつにされてしまうのかもしれませんけれど。
妻はかつてごみ処理会社で働いていて、ゴミ捨て場から空き缶を持っていかれると本当に困ると言っていました。なぜならアルミ缶が一番高いので。

内田 あれをごみ置き場から持っていくのが何でいけないの？

矢内 占有離脱物横領になるのですが、ごみ処理会社の理屈は別にあるんです。彼らはごみ回収の仕事を得るために、自治体に入札します。その金額には、出てきたアルミ缶を売却するという前提があるんです。落札したら、毎日ごみ回収をするという義務が生じるわけで、ごみ拾いをやっている人たちにアルミ缶だけ持って行かれたら採算が合わない。なるほど、いろんな視点があると思いました。

内田 なるほどねえ。

矢内 一応、理屈はあるんです。

中小企業が生き残るためには任侠が必要かもしれない（矢内）

矢内 われわれ中小企業が生き残っていくためには、任侠的なものを取り入れていかなくてはいけないのかもしれないと思っているんです。薄給でやらないと利益が出ないとしても、結婚するときや子が生まれるときなど、何かの折には親分が子分に手当を出す。その文化をかっこいいとしていかないと。そうでなければ薄給で、経営者だけが私腹を肥やして、それで結局、破綻していくことになってしまう。やっぱり、かっこよく持ち出す文化をつくっていきたいと思います。それに一番近いのが、任侠なのかなと。昔は、「子どもにうまいめしでも食わせてやれ」と言って、ポンとこづかいを渡したと思うんです。そういうふうにやっていかないと勝ち残れないという意識が最近強くなってきています。

内田 帰属意識や忠誠心は、数値的にはカウントできないけれども、集団のパフォーマンスには決定的な影響を及ぼしますからね。『ONE PIECE』の作者の尾田栄一郎さんは、『東海遊俠伝』や『昭和残俠伝』などの任俠映画が大好きなんだって、集英社の人から聞いたことがあります。もう94巻(2019年11月時点)まで来ているのに、ストーリーはぜんぜん先に進まないでしょう。主人公が海賊王になるという巨大なミッションがあって、そのミッションを達成するための仲間をリクルートして集めていくという話が繰り返される。

——私はずっと、日本の右傾化がなんとかぎりぎりのところでとどまっているのは、ああいう漫画があるからだと思っているんです。結局、重要なのは仲間であって、国家や法ではないという漫画でしょう。そういうものが残っている間は、まだなんとか日本はもつ。それがなくなると危ないと思っているんです。

内田 僕もそうだと思います。国家主義に対抗できるのは個人主義ではないんです。国家対個人では勝負にならない。巨大な集団に対抗できるのは小さな集団なんです。国家の掲げる大義名分やイデオロギーは信じないけど、仲間は信じるという人たちの小さな共同体は国家に呑み込まれないで踏ん張れる。『ワンピース』は「大きい共同体」は信じられないが、「小さな共同体」は信じるに足るというテーゼをひたすら語っているわけですけれど、これは『昭和残俠伝』とメッセージは同じですね。

矢内 マネジメントは、見えない解が見えることが前提条件で、「お前、良かったな」という評価を20年でカウントできないと経営はできない。人間よりも経済が見えることが大事なんです。その経済とは何かというと、貨幣のやりとりではなく自分の所作の一つ一つにお金が発生していることが見えているということです。

内田 見えない貨幣ですか。

——インビジブル・アセッツですね。

矢内 それが見えていないから、経営ができない。それが見える子が育ってくると、われわれも経営を任せられるんですけど。

内田 資産は見えないものなんだとみんな教えないから。価値あるものは全部値札がついていると思っている。

矢内 雇用の問題ですごく面白いのが、月収25万の正社員募集に、あまり人が集まらないみたいなんです。だけど、明日、日当1万の仕事があると言うと、かなり多く集められる。それがすごく不思議がられて、この待遇を用意しているのになんで、ということなんですが、長期的な縛りがないことを人間は、特に若者は求めているんだと思うんです。相対的貧困とか言いつつ1時間働けば牛丼が3杯食べられる世の中ですから。

牛丼といえば、すき家を運営しているゼンショーの社長小川賢太郎は、僕の新宿高校の先輩にあたりますが、全共闘出身なんです。そこから東大へ行って左翼をやめて、弁当屋をやっていた。出自としては僕と非常によく似ている（笑）。要するに全国に、世界中に、安い飯を提供したいという考えが、もともとあるんです。だから上場企業なんです。

なぜ牛丼かというと、あるとき弁当は工数が多くて、ずっと安く出し続けることができないし、広がらないと気づいたから。牛丼ならご飯、肉、醤油だけ。工数が少ない、安くできる、広がりやすい。それがすき家、ゼンショーグループ。

だからゼンショーが、過労死の問題でブラック企業だと言われましたが、私は正直なところ数が増えれば一定の問題は起きるということだと思っているんです。小川社長は当時のインタビューで、「なんで俺がこんなこと言われなきゃいけないのかわからない」と言っていて。上場企業だから社会のさまざまな声を聞くけれど、本当は関連法規なんか関係なくて、要するに安くメシを提供することだけを追求している。そのゼンショーの社長の気持ちはよくわかります。心情的にはすごく共感するところがある。

だってアルバイトに時給1000円出しているでしょう。それで牛丼は300円。1時間働けば3杯食べられるじゃないですか。つまり貧困の連鎖だと言ったところで、2時間働けば2日分のご飯になるわけです。現実的には牛丼ばかり食えないけど、すき家ってメニューの種類がいっぱいあるから、本当は毎日食べられる。ゼンショーは、たぶん成功したうちの実家なんだろうと思うんです。

内田 なるほどね。だから親近感があるんだ。

矢内 だからそこでブラック企業だと責め立てる連中が許せない。それはブラック企業に決まっているでしょう。だって労働法規なんか関係ないと思っているから。

内田 全共闘に遵法精神を期待しちゃだめだよ(笑)。

しょぼい起業の次はしょぼいM&A(矢内)

矢内 しょぼい起業の次はしょぼいM&Aをやりたいと思っています。いま、どこも後継者不足で大変なんです。私には少子高齢化が実際にどういう社会問題をもたらすかがわからないけれども、要するに、日本人ネイティブの若者がいなくなっているということです。さらに言えばその僅かな若者も、ホリエモンに影響されて「多動力」とか言って、世界各地を飛び回りたいという希望をもっているため、地元の名士になる存在がいない。この国土を守るために大変なことだと思っています。「百田尚樹先生、中韓の悪口を言っている場合ではありません」と。

なぜこのへんの道路がきれいかというと、掃除をしている人がいるからです。すべて公務員がしているのかというと、民生委員の人たちも掃除している。私も近所の顔役みたいなおばさんにかわいがってもらっているんですけれど、その人が毎朝近所を掃き掃除したりして、その結果として、維持されています。

東京はまだしも、地方はヤバいと思う。そこで「俺が継いでいかな」という強い意志があるわけです。ともすると「外部からの乗っ取りか?」という話になるんですけれども、外部から乗っ取りでもしないと、土地にせよ、事業にせよ、墓にせよ、もう維持ができなくなっているんです。

私は『しょぼい起業』のなかで、「みんな、起業しなよ」と書いたんですけど、マネジメントという言葉はふつう経営と訳しますが、「なんとかやっていく」「なんとか帳尻を合わせる」という意味もあるんです。事業を「これ、よろしく」と言われたとき、「よし、なんとかしよう」とできる人材は、存外限られている。

私のもとには、「千葉県で塾を開いているんだけれど、続けられなくなった。でも閉めたくないから、誰か継ぐ人はいませんか」というような相談がツイッター経由で来るんです。それで「こういう話があるよ」と紹介すると、すぐに、「興味があります。詳細を教えてください」と言われるのですが、詳細なんかないんです（笑）。

要するにいまの生徒数が何人で、売り上げがいくらで、こういう条件でお譲りします、というような詳細を知りたがっているのですが、詳細なんかあるわけない。つまりそういう詳細な数字を把握して条件が提示できる事業体というのは相当高度で、それこそ上場するかしないかを検討しているような会社でもなければ無理です（笑）。

友人の木村は神奈川県の不動産業者で、平塚の資産家ですが、彼も自分の事業の詳細は把握しきれていない。いま会社の状況がどうなっているのか、詳細を教えてくれと言われても、せいぜいこれぐらいの売り上げで、従業員が何人います、ぐらいしか言えない。

だから本当に詳細が聞きたかったら、「一回お茶しませんか」と言って、ごはんでも食べながらいろんな話を聞く中で状況を把握することが、マネージャーとしては求められるのですが、それができる人は相当限られている。

私は幸いにしてその能力があるようで、それこそ与えられた能力か獲得したものかわからないけれども、ともかくこの能力を使わないかん、適切に使っていかないかんという使命感がある。

内田先生は、「日本の株式会社化」を最近よくおっしゃっていて、どこも当期利益が第一で、早く売却しようという風潮があると指摘しています。私も持続や存続をすごく大事に思っています。たとえば名前が残ることや、その場所にあり続けるということが、すごく意味を持つと思っているんです。そこにいろいろなものが宿ってくると思うので、それをやらにゃあしょうがないと思っています。

問題は少子高齢化とマネージャーの減少ですね。マネージャーというのは要するに、「やるよ！」と言える人です。「やるよ！」と宣言できる人が減少していく中でできる人が1人いたら、その人が10社でも100社でも受け持って、マネージャーをしないといけない。そういう時代が来るという予測があるんです。大企業ではなくて、魚屋とか、豆腐屋とか、そういったレベルです。それを100店舗とかの規模でマネージできるようになりたいと思っています。

内田 それは業種が違うものでもかまわない。

矢内 違ってもかまいません。

――いま、豊島区は、本当に消滅を危惧されているところですよね。少子化もあって、小さなお店がどんどんつぶれている。

内田 経営は黒字なのに後継者がいないから廃業するという話をよく聞きますね。地方ではずいぶんひどいことになっているみたいです。安定的な顧客がいて、黒字で経営しているのに、経営者も従業員も高齢化して、後を継ぐ人がいない、しかたなく廃業というケースが相次いでいる。消費者は、それまで享受できていたサービスや商品を手に入れられなくなる。「必要なものが、必要なとき、必要な場所で手に入る」ということが「豊かな社会」の定義だとすると、日本は小さな企業が廃業することで、どんどん貧しくなっているということです。

――先ほど矢内さんが言った通り、50年間、利益をあげてきた人でも、詳細は説明できない。それで事業計画が立てられなければ、つぶれてしまう。それはおかしいと思う。

内田 そうですね。株式会社というのは利益を出さなきゃいけない、株主のために右肩上がりで成長しなきゃいけないと言われています。でも、ほんとうにそうなのか。そういう発想を止めることだってできるんじゃないですか？

経済学者の水野和夫さんが言われていることですけれど、株式会社に出資する人間は、その会社が提供しているサービスや商品をこれからも安定的、継続的に享受できるという事実そのものを「配当」とみなすべきだ、と。僕もこれには賛成なんです。企業が継続的に活動しているということ自体が配当だとすれば、投資する人たちは別に金銭的なリターンを求める必要はない。豆腐屋なら豆腐屋が家の近所にあって、美味しい豆腐を売っている。その豆腐屋が廃業しないように僕が出資すれば、僕はこれからも毎日美味しい豆腐が食べ続けられる。僕がそれ以上の金銭的な配当を望まなければ、豆腐屋には右肩上がりの企業努力なんか要らない。それがこれからの株式会社の形ではないかというのが水野さんの考え方なんです。

――株式をお金に換算することがいけない。

内田 株を貨幣に換算してはいけないんです。株というのは疑似貨幣ではなくて、企業が提供する商品やサービスを安定的に享受したいという人が企業を支えるために差し出すものですから。

――それが株式会社の本来のあり方です。

内田 ええ。だから株価が下がった上がったで一喜一憂すること自体が倒錯的なんです。株式会社は別に成長する必要はない、継続できればいいというふうに頭を切り替えたら、いろいろな企業がいまでも継続可能だと思います。問題は後継者がいないということですよね。それをどうやって探してくるか。先ほどえらてんさんが言われていましたけれど、マネージャーができる人って少ないんですか？

矢内 存外少ないみたいです。

内田 何が足りないんでしょうか。だいたいこんな感じでなんとかするという、臨機応変力がないということなんですか。

矢内 かもしれません。

責任を取ると宣言することでしか責任は取れない（内田）

――結局、リスクを背負う人間だけが経営者になれるということは、決まっているわけです。だけど、リスクを背負うことを教わっていない。そういう教育がされていないのは問題です。

内田 リスクを取らないと話は始まらないんです。リスク・テイカーがディシジョン・メイカーであるというルールのゲームなんですから。リスクと経営決定権はトレードオフなんです。リスクを取らない人間が決定権だけ欲しがっちゃダメです。

矢内 木村は15億円ぐらい債務があるのですが、当然、資産も相応にあるわけで、バランスシート上、15億円の借金があることが実態としては何も意味していない。殺されもしないし、夜中に借金取りが押しかけても来ない。もちろん債務不履行に陥ったら家屋敷は売られるだろうけれど、家屋敷を売られたところでそれ以上は求められないというか、健康で文化的な最低限度以下の生活をしろと強いられることもない。

だとすれば、リスクなんてないはずなんだけど、なぜか、どうなるかが怖くてリスク・テイカーになれない人は多い。僕は「そのうちなんとかなるだろう」と思っていて、それを大切にしています。

内田 責任というものは、「オレが責任を取る」と宣言する人が出現することではじめて現実化する操作概念なんだと思います。「オレが責任を取る」と宣言する人間が一人もいない場所では、そもそも「責任という装置」そのものが働かない。だから、決定が下せない。仕事が進まない。責任というのは、「それを引き受けるという人が登場してくると、仕事が捗る」という効果をもたらす遂行的な装置なんですよ。実体なんかないんです。誰かが「オレが責任を取る」と宣言したおかげで仕事が捗りましたという事実によって事後的にその効果が知られるものなんです。

僕は組織の中に長くいたので経験的にわかりますけれど、「責任はオレが取るから」と言うとトラブルが発生しないんです。新しいプロジェクトが始まるというときに、現場がアイデアを出してきたら、「思う通りにやっていいよ」と現場に任せる。「失敗したらオレが責任取るから」って。だって、「オレが責任を取るよ」と言うと、失敗しないから。「責任を取る」という宣言をなす人がいると、責任を取らされるような事態の出来は最小化できる。逆に、「オレは知らんぞ。失敗したら、お前たちが責任取れよな」というふうに突き放すと、だいたい失敗する。そういう場合は、みんなが責任をなすりつけあって、結局誰も責任を取らないので、「責任」という言葉そのものが空語になる。責任というのはものごとがうまく運ぶための操作概念なんです。機能だけがあって、実体がない。だから、どうやって「責任」という概念をうまく活用してシステムを機能させるかということが実践的な問題になる。

何でも、新しいことをやりたいと言う人がいたら、背中を押して「頑張って。失敗したら骨を拾ってやるよ」と言えばいいんです。言われた人は発奮する。その結果、骨を拾わなければならないような事態が出来する確率は有意に減少する。「責任はオレが取る」という決めぜりふを僕は過去に100回くらい言ったけれど、事後に「責任を取れ」と言われたことは1回もないです（笑）。

矢内 ほんとにそうだと思うなあ。「失敗したらどうするんだ、そんなに人を焚きつけて」と言うけど、もうみんな人生自体が最初から失敗みたいなものだと。何かわけがわからないうちに生まれてきて、わけわかんないうちに死んでいく。そんな何か大きな失敗の中にいて、何を恐れているわけ？ と思います。

内田 そうなんです。恐怖心が最もプレイヤーのパフォーマンスを下げるんですから。どうやって励ますか、何よりもまずそれを考えないと。

だから職場でのパワハラとかでプレイヤーのパフォーマンスを下げるなんて、もう、何を考えているのかと思いますね。パワハラするやつって、下の人間がいつも上司の顔色をきょろきょろと窺って、自分では何も決めずに、全部上の指示に従う上意下達のシステムを作りたがるんです。そういう仕組みを作ると、自分が偉くなったように思えるからなんでしょうけれど、そんな暗い職場で働く人間のパフォーマンスが上がるはずがない。どんな仕事でも、「笑いの絶えない職場」というのが最も作業効率が高いんです。だから、仕事の効率を上げようと思ったら、どうやって「笑いの絶えない職場」ができるか、それだけ考えればいい。どうしてこんな簡単なことがわからないんだろう。自分が子どものころにチームで何かしたとき、みんながニコニコ笑っているチームと、みんなびくびくとトップの顔色を窺っているチームとでは、パフォーマンスのレベルが違うという経験をしたことがないんですかね。

——官僚化の問題とかなりからんでいると思うんです。官僚って基本的に減点主義なので、成功する必要がないんです。失敗しなければいい。

内田 なるほど。官僚たちは「どうやったら成功するか」という問いには知的資源を投じないんだ。でも、そんな連中に制度設計を任せていたら日本は滅びますよ。

しょぼいM&Aは月商100万円以下しか手がけない（矢内）

矢内 僕が考えているしょぼいM&Aというのは、しょぼい事業継承、しょぼい事業買収で、会社をつぶすよりも、そのほうが経済合理的なんです。たとえば飲食店を経営していて、行き詰まって閉店になったとき、その物件をつぶしてスケルトンにするにはお金がかかる。それで次に入りたい人が飲食店をやるなら、もう一回、一から作り直さなければいけない。その分の資源は完全に無駄なわけです。そうすると、つぶさずそのまま引き継いじゃったほうが経済合理的でしょう。設備が同じでも人が変われば店も変わるので、そのままでも繁盛店になる可能性は大いにあるわけですから。

特にいま飲食店は立地が大事だと言われているけれど、あまり関係ないと思います。たとえば僕が以前店長をやっていた「エデン」というバーは、ほとんど人が通らない住宅地にあって、誰一人、初見では来ないけれども、人がいること自体が人を呼ぶということがあると思うんですよね。つまり今はツイッターなどで個人が発信しやすい時代です。逆に大手のメディアなどが発信を握るわけではないですから、個人がしょぼい財閥になれる。

しょぼい財閥というのはどういうことかと言いますと、財閥というのは線路を引けるわけじゃないですか。

内田 西武みたいなやつね。

矢内 そうそう。西武とか。価値がまだわからない土地に、たとえば池袋を拠点にしようと言ったら池袋が栄える。あるいは終着駅をたとえば埼玉県の小川町にしようと決めたら、小川町が栄える。今までまったく無価値だった土地に価値が発生すると言いますか。それをしょぼい規模でできてしまうということです。

これから日本が経済成長しないというのは百も承知ですが、ネットワーク自体は成長し得ますし、海外との通商も容易になっています。あるいはYouTubeなどで海外に向けて速攻で訴求できますし、航空券が安くなっているとか実際的な技術革新もありますので、個別のネットワークだったら大きくなれると思うんです。現に先行の経済成長モデルが変わってきている。

たとえばYouTubeのフォロワーがこれだけいる個人が、ここにいますよと言ったら、そこに価値が出てきて、そこに人が集まる。そこに事業の承継や土地の再生といったチャンスがあるのではないかなと思っているわけです。

事業の買収も1万円、あるいは無料くらいの単位で、たとえば僕は、月商100万円以下のところしか手がけない。月商100万円以下専門で、売買価格は10万円以下専門のM&A、事業買収をする。M&Aというと、2桁、3桁億円みたいなものが一般的で桁が多ければいいと思いがちですが、でもお金が一万倍になったところで、そこで食っている人間も一万倍になるわけではない。逆に事業の多様性、多くの事業が存在しているということ自体が、多くの人を食わせることにつながると思う。だからとにかく店は閉じてはあかんと。だからうちの実家もどうなるかわかりませんけれども、親族の事業は100%継いで、親族でない人の事業も継ぐという心意気を皆さんに推していきたいと思っています。

内田 偉いねえ。

矢内 「えらいてんちょう」ですから(笑)。内田先生も学生時代にしょぼい起業をしたそうですが。

内田 しょぼい起業をしました。

生産性を上げることは雇用を奪うこと(内田)

内田 僕は26歳のときに友だちの平川克美君と翻訳会社を起業したわけですけども、日本の産業構造が激変している時代だったから、こういう状況においてどういう行動が最適解なのか、誰も知らない。先行する成功事例もない。だから、とりあえず自分たちのパフォーマンスが最大化するような企業の仕組みを作ろうと思った。どうしたら稼げるのかはよくわからない。だから臨機応変にあらゆる事態に対応できるように、フットワークを軽くして、笑いながら機嫌よく仕事ができる環境を作るということだけを考えた。結果的にはそれでうまくいったんだけれど、えらてんさんもこの前代未聞の経済状況をよく見ていると思う。「全部俺が継ぐ」というのは確かにおっしゃる通りで、経済活動において一番大事なことは、その商圏の中にいる人たちに商品やサービスを安定的に提供してゆくということに尽くされるわけです。まずは「必要とされるものが、必要なときに、必要な場所で手に入る」という「豊かな社会」の条件を満たす事。その次に、雇用を維持し、創出してゆく。経営者がどれだけ儲かるかということより、どれだけたくさんの従業員に飯を食わせられるかということの方がずっとずっと大事だと僕は思います。

ビジネスで「生産性を上げる」というのは、要するにそれまで10人でやっていた仕事を1人でできるようにするということですよね。ビジネスマンは人件費コストが10分の1になるのを経営の成功だというふうに考える。でも、それは9人が職を失うということなわけです。その9人の再雇用の手当てについて見通しがあるなら、生産性の向上は経済活動を活性化させるでしょうけれど、9人を路頭に迷うに任せて、再雇用先は自己責任で探してくれということになれば、経済活動はいずれ鈍化する。生産性を追求するということは、国民経済的に考えると、国民の雇用を失わせ、生活水準を切り下げ、ひいては経済活動全体を停滞させる。

矢内 その通りです。

内田 生産性を上げたせいで、みんながリッチになったという話ならそれでいいんですよ。でも、現実はそうじゃない。いまの日本では、人件費をカットした企業では、内部留保を増やし、経営者や株主の個人資産を増やしているけれど、従業員たちはどんどん貧しくなっている。

　ＡＩの導入がもう間近に迫っていますけれど、たしかにロボットの導入で人件費コストは大幅にカットされるでしょう。でも、それで儲かるのは経営者と株主だけで、仕事を失った人たちは再就職先を探して、どんな劣悪な雇用条件でも受け入れるしかない。アメリカでは、もう大量雇用消失についての国民的な議論が始まっています。そして、経済政策で一番大事なことは完全雇用だということで一応話はついている。ニューディールの時と同じで、政府が「最後の雇用者」になるしかないということについては大筋合意ができている。僕はこれは正しいと思います。

矢内 会社員になる、雇われるという形ではなく、自分が店の責任者だという形であれば生きる人もいるわけです。今日この対談の場に来ている「しょぼい喫茶店」をやっている池田達也も、就活はうまくいかなかったんだけど、店をやったらえらく才覚を発揮した。そういうタイプっていくらでもいるんです。一方で、店では働けない人もたくさんいる。その人たちはどこかそうじゃないところに勤めたらいい。

しかし人を雇用するというのは大変で、労働法規を強くすればするほど、雇いたくなくなります。ゼンショーの社長の言い分もわかる。権利と言われると大変です。「経営者の人権だって守ってくれ」と言いたくなる。労働基準法には雇用者と被雇用者の立場は対等であるということが書いてあるんですけど、株主と被雇用者は対等だとは書いてないんです。

マルクスは資本家対労働者と言っているのに、いつの間にか経営者対労働者の対立構造になっている。だいたい中小企業の経営者というのはプロレタリアート階級なんです。それがいつの間にか株主が分散していて、資本家が闘いから消えて、なぜかプロレタリアート同士が闘っていて、左翼は同じプロレタリアートである経営者を資本家だとか言って攻撃しているという状況がある。資本家対労働者という対立も、今は妥当性があまりないと思います。だけどプロレタリアートに責任を負わせて、プロレタリアートが助かろうとしても仕方がない。だって権利がないというか、権利を履行するだけの権限もなければ、財産もない状況です。だからお互いなんとかやっていこうよという自営業者の集まりみたいなところに希望を感じています。

事業継承で受け継ぐ側の資質をはかるには、減点方式ではいけない。減点方式でやると何も残らない。マネジメントができるなら、もうそれだけで採ってもいい、後継ぎにしてもいいかなと。そのくらいにしないと、たぶんマネジメントができて、減点がない人物はほぼいない、一人もいなくなってしまう（笑）。

――完全雇用を実現しようと思うと、今の最低賃金法の中では無理です。私が中学、高校のときに習った政治経済の授業でも、日本の企業のうちの90％以上は中小企業で、そのほとんどが一人企業とかなんです。そういうところは、そもそも一人も雇用できないのが普通で、大企業をモデルにした最低賃金を保証しようとすると、当然それは雇用できなくなってしまいます。

矢内 それで、結局イオンやコストコのような大型店だけ残るという話になってしまう。

左翼はカネ、カネ、言い過ぎる（矢内）

――最低限のセーフティネットを用意するとなると、食わせるだけではなくて、寝るところを与えなければならないのですが、これは別のものとして考えていかないといけない。レヴィナスも、「制度にすべてを任してしまうのでは、結局人間というものがなくなってしまう」と言っていました。

内田　そうですね。レヴィナスはそのことをスターリン批判の文脈で書いているんです。制度にすべてを任せてはいけない。万が一、政府が完全に公正な社会を制度設計して実現したとします。貧しい人は適切に支援され、勧善懲悪システムが効率的に機能しているので、悪事を働いた人間はすぐに罰され、正義を行った人間はすぐに顕彰される。そういう完全なシステムができたとする。しかし、それは非倫理的な社会であるとレヴィナスは言うのです。個人が倫理的にふるまう義務を免ぜられてしまうからです。だって、国が全部やってくれるわけですから。目の前で悪事がなされていても、どうせすぐに警察がやって来て、悪人はみんなつかまるはずだから、何もしないで手をつかねて見ているだけでいい。目の前で路頭に迷っている人がいても、すぐに行政がやって来て、適切に支援してくれるはずだから、自分は手を差しのべなくてもいい。飢え死にしかけている人が「パンをひと切れください」とすがりついてきても、「いま行政に電話してあげるから」と言って、すたすた立去ることが許される。許されるというか、そういう不完全な個人的な慈善の事業はむしろ行政の邪魔になる。だから、もしすべての不正をただし、すべての弱者を救済するシステムをつくったら、人間は果てしなく非倫理的になるだろう、と。レヴィナスはそう言うんです。それは「神が万能である世界」と同じです。勧善懲悪の神がいて、あらゆる不正を瞬時にただし、ワルモノをたちまち地獄に落とすということをしてくれる世界では、人間は倫理的にふるまう必要がなくなる。目の前で悪事がなされていようと、不正がなされていようと、あるいは路頭に迷って自分を頼ってくる人がいても、「神さまが全部片づけてくれるから」で自分は何もしないで済む。

でも、宗教というのは、本来そういうものではないはずですよね。神の不在に耐え、神さまの支援抜きでも、公正で慈愛に満ちた世界を手作りし得るような人間を創造したことこそが造物主の栄光であるというのが一神教の護教論のロジックなんですから。地上に公正で、慈愛に満ちた世界を造るのは人間の仕事である、と。そのようなミッションを果たし得る被造物を神が創造したことを信じる、と。

だから、孟子の「惻隠の情」に言う通り、目の前で子どもが井戸に落ちそうになったら、良い悪いなんか考えずに、「思わず手が出る」ということが人間性の本質だと思うんです。理屈じゃないんです。窮地にある人が目の前にいたら、「国がなんとかすべきだ」とか「神さまが何とかすべきだ」とか理屈を言うより先に、まず手が出る。それがほんとうだと思うんです。「個人の善意に依存するのではなく、子どもが決して井戸に落ちないような仕組み作りが第一だ」というようなことを言う人がときどきいますけれど、完全な仕組みを求めることは、人間が道徳的にふるまう義務を免ずるという副作用をもたらすことに無自覚過ぎるような気がします。

矢内　政府が計画することに対しての原理的無理さは、私も結婚して学びました。うちの妻が精神障害で3級の手帳を持っているんですけど、身体が弱いということも重なって、その日食べられるものが変わるんです。要するに胃の調子や精神の調子によって、ふだんは好きなものを食べても吐いてしまうことがある。ご飯を見てみないとわからない。そんなふうに自分でも何がいいかわからないのに、どうして計画できるのという話になる。僕は理性国家による計画という理想みたいなものを持っていたのですが、それを目の前で見ていて、これは無理だと思いました。

だからこそ多数のチャンネルを持って経営をすることが私にとっては福祉の実現だったんです。経営すること以外、何もできなかったので。お金をもらって消費するのでは、自尊心の問題もあって、私は満たされなかった。けれどもマネジメントはできた。アルバイトすらまともにできないのに（笑）。

内田　僕の友人の平川も社長しかしたことがない（笑）。大学卒業してから1年ちょっと翻訳会社に勤めただけで、あとは人に使われた経験がない。20代で起業してからずっと社長しかしたことがない。いまは喫茶店の店長ですけれど、おそらく生涯人に使われることのない人間でしょう。

矢内　だから「人の下についた経験のない者は、雇われる人の気持ちがわからないから、人の上には立てない」とか言われて、そうなんだと思いながらも、でも私にとって福祉は経営でした。

内田 でも、そうだと思いますよ。上に行く人は初めから上に行くんです。

矢内 最低賃金を保障しろ、あるいは最低限の生活を保障しろという形で福祉を求めると、かえってその余地をなくしてしまう。そういう形で多様性が切り崩されていくのではないかと。つまり最低賃金を払えない企業はブラック企業であるから全部つぶれたほうがいいということになる。でもだいたい零細企業の事業主は、最低賃金を社長がもらっていない場合も多い。でも立派に食えている。生活保護を受けるより、そっちのほうが楽しいという。左翼はカネ、カネ、言い過ぎだと思います。カネ以外の福祉もたくさんあって、そして事業は一回崩してしまうと、二度とそれは回復できないし、同じ事業はつくれないんです。同じ場所というのも消えてしまう。ですから自分ができる範囲でなるべく保存したいと考えています。それがネットワークになるとさらによろしい。貨幣単位でない交換ということができるようになりますから。木村は自分で不動産の工事ができるものですから、工事してくれるわけです（笑）。ドアを作らないと許可が下りないと言ったら、来てくれて、いま一円も持ってないとか言ったら、何か今度やってくれと言ってタダ働きしてくれました。

貨幣を呼び込むコツは贈与すること（内田）

内田　交換というのは、時間差を伴うものなんですよね。情報の交換、知識の交換、技術の交換、なんでもそうですけど、みなさん何か有価物を差し出したら、その場ですぐに対価をもらうべきだと思い過ぎです。なんでもキャッシュ・オン・デリバリーがいいというものじゃない。むしろ「あ、どうもありがとうございます。お礼はそのうちにね」の方が交換の本筋じゃないかと僕は思うんです。今回は僕が出しておくけども、次は君が出してねって。その間、一方は反対給付義務をずっと感じたままでいる。だから、関係を切ることができない。関係を切って、反対給付義務を怠ったら「何か悪いことが起きる」というのはすべての人間の中にいまも潜在している信憑ですから。だから、未回収の債権や未決済の債務をあちこちの人と取り結んでいるというのが、人間としては健全じゃないかと思うんです。未回収の債権って、こちらの資産ですよね。何かのときに回収できる。いつ、どういうかたちでそれを回収するか、その選択肢が多様であればあるほど、その人の自由度は高まり、可動域は広がる。だから、「贈与しっぱなしで、なかなか回収しない」という関係をできるだけ多くの人と取り結んでいる人って、大きな権力を持っているということなんですよ。

世に「豪腕政治家」っていますよね、田中角栄とか。あれは別に無理押しできるほど腕力があるということじゃないんだと思うんです。機会があるたびに、敵にも味方にも、およそ自分に支援を求めて来る人にはかたっぱしから贈与して、支援して、恩を売ってきた。だから、「ここ一番」というときには全額回収にかかれる。通るはずがない法案を剛腕政治家が通すときって、あれは債権の回収をしているんだと思います。「悪いけどさ、これまでの貸しがずいぶんあるので、今回は一つオレの顔を立ててくれよ」で、相手も呑むしかない。

——預言者ムハンマドは、使ったお金だけが財産だとおっしゃっています。あるいは贈与したものは必ずそれ以上になると、モースも言っていました。

内田 そうですね。欲しいものは、それをまず他人に与える。そうやって迂回的にしか欲しいものは手に入らない。

矢内 スマートに贈与という呪いをばらまこう（笑）。

内田 難しいのは、贈与って才能が要るんですよ。「10億円あったらどんな贈与ができるかな……」ということばかりふだんから考えている人しか、10億円が思いがけなく入ってきたときに対応できないから。

ふつうの人は急に「はい、ここに10億円あります、3日以内にこの10億円を使い切ってください。ただし条件があります。貨幣に類するものを買ってはダメです」と言われたらフリーズしちゃうんです。ふだんから「宝くじが当たったら」って想像するときでも、「半分貯金して、残りで土地買って、株買って、金貨買って……」というようなことしか考えてないから。そういう人は10億円もらっても、使い切ることができない。だって、貯金も土地も株もダイヤも貴金属も全部ダメなんですから。それは「貨幣で貨幣を買う」ことだから。とすると、せいぜい車を買う、高い服を買う、高級レストランで飯を食う、銀座のクラブで酒を飲む……くらいしか思いつかない。でも、それだと10億円使うのに何年もかかる。

3日以内に10億円使おうと思ったら、人にあげるしかないんです。でも、そのためにはつね日頃から、「ああ、ここにどかんとお金があったら、あの人とあの人とあの人にあげたいなあ」という夢想をしていて、そのための長大なリストを作成している必要がある。見ず知らずの人が来て、いきなり「3億円差し上げます」と言ったたって、ふつうは気味悪がって、相手にしてもらえませんからね。だから、「贈与したい人リスト」を持っている人は、実はふだんからその人たちにたとえ少額ずつではあっても贈与する習慣がある人なんです。「前回は100万円しかあげられなかったけれど、今回は資金潤沢だから1000万円あげられるよ」「わあ、いつもありがとう」という関係においてだけ贈与と嘉納の関係は成り立つ。贈与されたら素直に「ありがとう」と喜ぶ人たちにふだんから囲まれている人間だけが短期間にてきぱきと効果的に贈与することができる。

貨幣の本質は運動性なんです。だから、巨額の貨幣がそこに行くと、一瞬のうちに消えてゆくようなところに貨幣は吸い寄せられるはずなんです。一瞬で消えるといっても、カジノで一晩のうちに10億円すった…というようなのはダメなんですよ。それはただ10億円がカジノの胴元の金庫に移動しただけで、そこに退蔵されるだけなんですから。

一番効果的な「お金の消し方」は、お金が要るという人たちに贈与することなんです。手渡された瞬間に、家賃払ったり、食糧買ったり、服を買ったり、文房具買ったり、本買ったり……、無数の用途に流れ込んで行って、貨幣の運動が多様かつ迅速になる。貨幣はそういう使われ方を喜ぶんです。だから、贈与することが貨幣を運動させるコツなんですよね。

矢内 そうですね。

内田 お金って、使うためのものなんですから。

——増やしても、それでいろいろ投資してくれるならいいけれども。

矢内 友人の池田達也がやっている「しょぼい喫茶店」も、実はカイリュー木村という男が投資してできたんです。その原資は仮想通貨で300万円ぐらい儲かったから、100万円ぐらい出資しようか、みたいなお金（笑）。

内田 それは正しいですよ。あぶく銭は手に入ったらすぐにパッと配るといいことがある。悪銭身につかず。あぶく銭を退蔵したら罰が当たります。

矢内 分配していきたい、本当に。

内田 あまり知られていないことですけど、貨幣は予想外の使い方を喜ぶんです。これくらいのお金があったら、ふつうはこういうことに使うよね、というようなつまらないことに使うと、お金の流れは途絶してしまう。お金って退屈するんです。お金は「思いがけない使い道」をされると喜ぶ。だから、思いがけない使い方をすると、すぐに思いもかけないところから、思いがけないお金が入ってくる。

――一番難しいのは、子ども食堂みたいに、どこにいるのかわからない人を見つけること。まさに行政にはできない。

内田 そうですね。

矢内 10億円あったら、世界各国1店舗ずつ店舗をつくって、そこではきちんと給料を出しておく。拠点を維持すればそこからさらに広がるから。だけど私はいま、150万ぐらいしか持ってない（笑）。

――イスラーム法学者は、清貧なんです。自分自身のお金は持たないことによって莫大なお金が集まってくる。それを分配していく。そういうものなんです。

内田　貨幣は使用価値ゼロの商品なんです。何かと交換する以外に何の使い道もない。退蔵していてもしょうがない。サッカーのボールと同じなんです。プレイヤー全員が血眼になって奪い合っていますけれど、サッカーボールそのものには何の価値もない。ボールそのものに価値があると思って、後生大事にボールを抱きかかえて、試合が終わっても手離さなかった……というようなプレイヤーは、いませんけれど、いたらバカです。サッカーボールはそもそもが敵陣に贈与するためのものなんです。自陣のゴールに放り込むわけじゃない。敵陣に贈るんです。それを敵チームが妨害するのは、「贈与者の資格」を得ることがプレイヤーの栄光だからです。ボールが回ってきたら、誰かに「パスする」ことができる、ゴールに「シュートする」こともできる。ボールにタッチできないプレイヤーは「パス」の機会も「シュート」の機会も持つことができない。ボールを抱えたままで、動かないプレイヤーがたまにいますけれど、そういうプレイヤーにはそのうち誰もパスしてくれなくなる。ボールが集まるのは、一番ファンタスティックなパスコースを見出せるプレイヤーのところです。「あいつにパスを回すと、どこにボールが行くかわからない」というプレイヤーのところにボールが集まってくる。貨幣もそれとまったく同じなんです。

責任は、責任をとると言った人がいた瞬間に発生する（内田）

――資本家でも、株主でもいいんですけども、一人でお金を手にして、それをみんながうらやましがっているというのは、持っている人の意識を変えないとどうしようもない。持っていても仕方ないいんだから、みんなに配ってくれるようにしないとどうしようもないですね。

内田 墓場まで持っていけないいんですから。個人資産を何十億円も抱えている人はどうしようっていうんでしょうね。竹中平蔵なんか、いくらあれば気が済むんだろう。

――私も基本的には自己責任論者ですけども、責任というのは力を持っている人間がとるものです。いま世の中にある自己責任論はまったく逆で、力を持っている人間は責任をとらない。弱い人間にとらせるということです。竹中平蔵がほんとうの意味の自己責任論者であれば、自分は一般の人より優れた能力と大きな権限を持っているのだから大きな責任を負う、と言うべきだと思います。私が見ているかぎり、そのように見えないいんだけど。

内田 「自己責任論」というのはいかがわしいものだと思います。先ほども言いましたけれど、僕は責任というのは「私が責任をとります」と発語した人間が登場したときにのみ発生して、システムを順調に進捗させる操作概念だと思っています。それは「私が責任をとります」と言った人の「祝福」を得て生まれるものであって、「お前が責任を取れよな」という「呪い」の言葉が口にされたときに、生命を失って、消えてしまう。

矢内 叩かれたら痛いのは自分だ、くらいの意味合いでの自己責任はわかりますけど、自分が病気にかかったら自分が死ぬしかない。私が病気になっても、別に竹中平蔵は死んでくれないわけで（笑）。

内田 日本語の「責任」と英語の responsibility は別ものだと思うんです。responsibility という言葉は、もともと「応答」(response) から由来する語ですから、硬く訳せば、「応答可能性」ということになる。つまり、誰かに呼びかけられた時に、それに「応答することができる」ということです。応答って言っても、ほんとにシンプルなもので、要するに「はい」なんですよ。でも、「はい」と答えるためには、実は重要な条件がクリアーされていなければならない。「誰かいますか？」という呼びかけがあったときに、周りに何人も人がいるのに、誰も返事をしないということがありますね。「あれ？ みんな聞こえてないの？ 俺は聞こえたけど……」という時に、ふらっと手を挙げてしまった、というのが「レスポンス」なんです。call and response ですから、まず最初に「呼びかけ (call)」がなされる。それに対して「応答」がなされる。自分には「呼びかけ」が聞こえたけれど、他の人たちには聞こえていないらしい。仕方なく、「はい」と手を挙げることが「応答をなしうること」すなわち responsibility なんです。

矢内 別にやりたくないのに（笑）。

内田 そうです。誰かが「助けて！」と言っている時に、自分以外は誰もその訴えに気がついていないということがあるでしょう。「ねえ、『助けて』って言ってる人がいるよ」と周りを見渡しても、みんな黙っている。聞こえてないらしい。仕方がないから、自分で助けに行く。それが「応答をなしうること」としての責任なんだと僕は理解しているんですけれど、それって、今の日本語の「責任」という言葉とは発生的には全然意味が違いますよね。むしろ「選び（election）」という方に近いのかも知れない。

矢内 個人的には、日本が助けを求めてこようが知ったこっちゃないんですけど（笑）。

内田 日本が「助けて」って訴えている声が僕には聞こえちゃうんですよ（笑）。これは人間の良否とは関係ないんです。聞こえちゃう人間には聞こえちゃうというだけの話で。僕の「愛国心」というのは、日本の「私、困っているんです」という愁訴が「聞こえてしまった」ということに過ぎないんです。別に積極的なものじゃない。理念とかイデオロギーとか情念とかいうものでもない。ただの「あ、聞こえちゃった。めんどくさいけど、返事しなきゃ……」なんです。

矢内 土地には愛着があるんですよ。地元や郷土にはあるんです。

内田 僕の愛国心の対象も、そうですよ。国民国家というシステムに向かうものじゃない。国民国家なんて幻想ですし。

矢内　それは政府に対してもそうです。

内田　そうです。でも、僕が「日本」という場合には、ある程度空間的には限定されるわけです。どこかで線を引いて、「ここからここまでが身内」というふうにしておかないと責任を取るってことはできないんですよね。だから、その外側の方たちには「すみませんけれど、こっちが片づいたら、そちらにも伺いますけれど、とりあえずは身内の始末を先にさせてください」ということになる。地球上の70億人に対して、衆生をくまなく済度するということは僕にはできない。だから、日本全国は無理だから、関東地方だけ身内認定させてくださいというのも「あり」だと思いますし、関東もいささか広すぎるから、東京限定でやりたいというのもいいし、それも無理があるので豊島区だけというようなのもいいと思うんです。一人一人が手を差しのべることができる範囲って、その仕事を真剣にやろうと思えば思うほど縮小してゆくものだから。「日本のために」とか言っている連中は具体的には誰を支援する気もないんです。だから、ナショナリストって、同胞に対してきわめて非寛容で、意地悪でしょ。彼らがナショナリストなのは、国家を忠誠の対象にしておくと、何の具体的責務も発生しないからなんです。狂信的なナショナリストで、町内のどぶさらいに率先して出かけるというようなやつはいないでしょ。「日本のためにオレは死ねる」

というようなやつは近所のおばあさんの荷物を持つくらいの仕事だってやりゃしません。

逆に、自分の守備範囲を狭くし、身内認定を厳密にすればするほど、仕事は具体的になる。自分が達成したことも可視化されるし、やったことについての手応えもある。でも、身内認定範囲が狭くなってゆくと、恩恵に浴する人は少なくなる。だからと言って、身内認定を広げ過ぎると、今度はこちらの力量を超えてしまって、具体的なミッションが達成できなくなる。「わかりにくいから、どちらかに決めろ」と言われても無理なんです。人によって身内認定できるサイズが違うんですから。ひとりひとりが自分の身の丈に合った「身内」を設定して、その範囲についてはきちんと責任を取る。それしかできないと思います。

若手起業家は大儲けしようというモチベーションでやっていない（矢内）

矢内　内田先生の『株式会社化する日本』（内田樹・鳩山友紀夫・木村朗著、詩想社新書）の反論をしたいと思っていたんです。当期利益主義というのは確かに良くないけど、やはりでかい株式会社は、屈辱感を感じずにフリーライドさせてくれることが多い。たとえば街中でトイレを借りるとき、そこらへんの八百屋より、あるいは誰か知らない人の自宅より、セブンイレブンのほうが借りやすい。

内田 セブンイレブンって、トイレは公開ですね。

矢内 場所によります。治安の悪い地域は店員に声を掛けないといけないのですが、私は店員に声を掛けられない。「お手洗い貸してください」と言えない。だから黙って入れるところはすごくありがたいんです。お手洗いを貸す余裕があるのはでかい会社がやっているから。

最近、新しくできたＬＩＮＥなどのスマホ決済サービスが広告費を大量に投入して、1000円分のチケットなどをくれることがあるんです。それを寄せ集めれば何日か分のご飯になる。これもやはり個人商店ではできないことで、そういったものにうまく乗っかって利用すると、1カ月くらい生き延びられます。内田先生は株式会社を敵視しすぎじゃないかと思っているのですが。

内田 そうですか。敵視じゃないんですけどね。株式会社が前提にしている「右肩上がり」と「当期利益至上主義」が現実と一致していないことを指摘しているだけなんだけど。

矢内 株式会社化する日本という新しく信頼される看板を作るのはものすごく大変だと思う。たとえば三菱でもそうですけど、その看板があれば人は信用してくれるという代紋をわれわれも作ろうと頑張っているのですが、とても5年スパンではできない。ずっと続くという前提で作らなければ。

たとえば若手の起業家も、株を売却して金を稼ごうという人もいなくはないですけれども、基本的には、みんなお金に困っていない。なので、大儲けしようというモチベーションでやっている人は少ないと思います。若手の起業家では特に。

だからそれこそ、世のため人のためと思っていて、そのためには最低限、経済的に回るようにしなくてはいけないと思っている人が多いんです。

内田 水野和夫さんが言ったように、定常経済システムにおける株式会社は、その会社しかできないような商品やサービスが安定的に供給されている事実そのものを「配当」だと考える人たちが企業を応援するために出資する。株を売り買いしている人たちは、マネーゲームをしているだけの話で、実際にはその企業の事業内容なんかに興味はないんです。その会社がぜひこれからも存続して、企業活動を続けて欲しいと願って株を買っているわけじゃない。そんな人間には配当する義理なんかないんじゃないですか、ということです。

僕もこれまでいろいろな会社に出資してきましたけれど、配当を期待したり、値上がりしたら売り抜けてやろうと思って出資したことは一度もないです。起業した人たちはみんな僕の知り合いですから。彼らには頑張って欲しい。彼らが提供する商品やサービスが良質なものであれば、それを僕自身が享受できるかも知れない。だから出資する。そういうことです。

――同じ株式会社と言っても、上場しているのとしていないのとでは、まったく違う。

矢内 何で株価が上下するのか全然わからない。

内田 株式会社では、経営の適否を判断するのはマーケットです。「マーケットは間違えない」というのが株式会社を経営する人たちの根本的な信憑です。だから、会社がどんなジャンクな商品を出しても、マーケットがそれを好感して、じゃんじゃん売れるなら、それは市場原理的には正しい交換だということになる。僕はそんなものは交換としてことの筋目が違うと思うけれど、ジャンクな商品を売る企業があり、わかった上でジャンクな商品を買う消費者がいるなら、その売買に干渉する権利は誰にもない。

だけど、国家を株式会社のように経営するのは間違っている。というのは、国家については、その政策の当否を決定する「マーケット」が存在しないからです。株式会社の場合、マーケットの判断で、商品が売れず、売り上げが立たず、株価が暴落すれば、会社は倒産します。でも、それは株券が紙くずになるというだけのことであって、経営者も従業員も出資者も、責任を問われることはない。株式会社というのは「有限責任体」だからです。

でも、国の場合は倒産という手が使えない。国家は「無限責任体」だからです。国が政策を誤って、国土を失ったり、国家主権を失ったり、国富を失ったりした場合に、どこかで「はい、おしまい」ということはありません。国土も主権も国富も失ったものはもう返ってこない。どこかほかの土地に行って、また「日本」を再建するという手も使えない。いま日本人が経験しているように、過去の日本人がしたことについて、いつまでも謝罪を求められる。だから、国家においては失敗は許されないということです。

株式会社は失敗することが前提になっているんです。実際に、起業した株式会社のほとんどは数年を待たずに消えてゆく。30年前、時価総額世界ランキングの上位50社のうち32社が日本企業でした。いま日本企業でこのランキングに入っているのはトヨタ1社だけです。100年前に存在した株式会社で今も残っている老舗なんか1パーセントにも達しないでしょう。いまは世界企業であるグーグルだって、アップルだって、アマゾンだって、あと10年後も存在するかどうかわからない。

でも、企業としてはそれが「ふつう」なんです。別に長期にわたって存在し続けることが株式会社の目的じゃないから。クレバーな起業家は、事業内容に将来性があると目を付けた企業が「会社ごと買いたい」と言って来たら、高値で売り払うことに何の抵抗も覚えません。創業してすぐに買われて、会社名が一瞬で消えるような会社を起業したことそのものがビジネスマンとしての優秀さの指標になる。

でも、国家の場合はそうはゆかない。国家には「マーケット」がないから。国家に向かって、「あなたの国、国際社会でぜんぜん評価されていないから、国を畳んで廃業してください」と言っても、誰も聞きゃしません。だって、国家というのは「未来永劫に存在する」という「お話」の上に成り立っているんですから。そうじゃないと、中央銀行が通貨発行できませんもの。

さいわい、100年前に存在した国家のほとんどは今も存在しています。手の着けられない破綻国家でも、けっこうしぶとく生き残っている。それだけ国家というのは惰性が強い制度だということです。だから、株式会社を経営するように国家を経営しちゃいけないと僕は力説しているわけです。

2000年の大統領選挙のときに、ジョージ・W・ブッシュはエンロン社のCEOケネス・レイの経営手腕を絶賛して、「大統領に再選されたら、私は一人のCEOが国を経営するように政府を運営するつもりだ。ケネス・レイとエンロン社はそのモデルとなるだろう」とほめあげましたけれど、そのケネス・レイは翌年に粉飾決算で会社を破綻させてしまいました。この人は自社株の暴落を見越して、持ち株を高値で売り抜けて、個人資産だけは守った。会社をつぶしても個人資産だけは守りましたという人をモデルにして国家を経営するというのは、やっぱりまずいです。でも、今の日本の政治家たちを見ていると、そのうち「あ、すみません。国家運営に失敗しちゃったので、また国土を失い、国富を失い、主権も目減りしました」とへらへら言いそうな気がして、心配でしょうがないんです。

――だけど、日本は国民が納得してしまいそうだから怖い。

内田　「あ〜あ、やっぱり滅びたか」と（笑）。

合意形成は全員が同じくらい不満なところに持っていく（内田）

矢内　先ほどの即決即断の話で言うと、最近、自分がもう小規模に即断をしすぎているので、つきあっている出版社に、「ちょっと待って、稟議が」と言われるのを遅いなと感じてしまう。でも、その遅さこそが株式会社を存続させているのかなと考えています。

内田　合意形成にどれくらい時間をかけるか、どういう手順でやるのかはけっこう難しい問題だと思います。いろいろな組織を経験してくるとわかるけれど、合意形成というのは「みんなが納得する」というものじゃないんです。むしろ、「全員が同程度に不満」なところが落としどころになる。落語の「三方一両損」というのが日本的な合意形成なんです。でも、「みんなが同程度に不満な解」というのは、なかなか出すのが難しいんです。これは相当に修羅場を踏んでこないと思いつかない。

「三方一両損」という話は、3両入った財布を大工の吉五郎が落として、それを左官の金太郎が拾う。落とし主がすぐに知れて、返しにゆくと、「一度落とした財布のことだ、もうさっぱり諦めてんだ、いまさら持って来られても受け取れねえな」と吉五郎は突っぱねる。金太郎も江戸っ子だから、「そんなものは受け取れねえよ」と言って譲らない。2人で財布を押し付け合って、どうにもならない。しかたなく奉行所に持ち込まれて、大岡越前が裁くことになる。すると、大岡越前は自分の懐から1両出して、財布の金と合わせて4両にして、それを2両ずつ2人に分ける。吉五郎は3両落として2両戻ってきた。金太郎は3両拾って2両もらった。大岡越前は懐から1両出した。これで三方一両損。これって、天才的な合意形成の仕方だと思うんですよね。当事者の他に、第三者が出てきて、その人が「持ち出す」ことで、全員の不満が同程度に調整される。別に大岡越前に1両出す義理なんかないんですよ。でも、その「義理はないけど、身銭を切る」という決断によって、合意形成が成った。

合意形成というのは、そういうものなんです。中立的な第三者が出てきて、身銭を切って「不満の程度」を揃える。よく「ウィン・ウィン」とか気楽なことを言うやつがいますけれど、そんな合意形成まずあり得ないんです。誰かが身銭を切らないと、合意形成は成らない。合意形成は基本「ルーズ・ルーズ・ルーズ」の三項関係なんです。

この合意形成システムがすぐれているのは、ステイクホルダーたちの不満を同程度に揃えると、不思議なことに、そこに一種の同志的連帯が生まれるということです。
『三人吉三廓初買』という歌舞伎がありますけれど、これは「三方一両損」による同志的連帯の話です。お嬢吉三という悪者が夜鷹から１００両を奪って、川に落とす。それを目撃したお坊吉三という別の悪者がその金を横取りしようとして、殺し合いになる。そこに和尚吉三という別の悪者が現れて、仲裁に入る。その仲裁というのが、１００両を２つに分けて、それぞれ50両ずつにしてくれというものです。そして、１００両が50両に目減りしたんじゃ、２人とも納得できまいから、ここはひとつ仲裁に入ったオレが両腕を斬り落とすから、それで納得してくれと持ちかける。その俠気に打たれて、３人は和尚吉三を兄貴分として義兄弟の契りを交わす……という話です。

これも説話的には「三方一両損」と同じですね。仲裁に入る者は、別にそんな義理はないんだけれど、身銭を切って、「全員が同程度に不満な解」を提案する。それによって合意形成が成る。それ以上に重要なのは、３人が義兄弟になって、生き死にを共にする約束をするという点です。「全員が同程度に不満な解」によって合意形成した集団は、そのことによって一種の運命共同体を形成する。

集団の成員たちの全員が、それぞれに自分たちの「割り前」分だけ身銭を切った……という自覚があると、彼ら全員がその解については自分はリスク・テイカーであり、それゆえデシジョン・メイカーであるという自覚を持つようになるからです。誰か上の人間が下した決定に従っているのではなく、自分自身が決定に関与しているという自覚を持つようになる。そのことが集団のパフォーマンスにとっては決定的に重要なんです。自分で決めたことだから、自分に責任がある。みんながそう思ってくれると、一人ひとりが割り前以上の働きをするようになる。全員が給料以上にオーバーアチーブするようになる。

集団のメンバーたち一人ひとりがオーバーアチーブしないと、集団のパフォーマンスが劇的に向上するということは起こりません。トップダウンで、上の指示に下の人間が黙って従うという組織は、外見的には効率的に機能しているように見えるかもしれませんけれど、実はパフォーマンスが低いんです。トップの力の限界がそのまま集団の力の限界になるから。

たしかに、トップダウンの組織は即断即決ですぐに動けるというメリットがありますけれど、手間ひまかけて合意形成して、全員がリスク・テイカーであり、ディシジョン・メイカーであるという組織じゃないと「でかい仕事」はできないんですよ。

矢内 でかい仕事ができない。しょぼい起業で生きていく（笑）。

内田 そうか。でかい仕事じゃなくて、いいんだ（笑）。

矢内 うちは小さいことだけでやりたい。

内田 そうですね。ほんとに実に新しいビジネスのモデルをえらてんさんは提示したと思う。これから「えらてんモデル」がすごく流行ると思う。「貧乏シフト」という流れでもあると思うけれど、いまの経済環境に見事に適応したビジネス・モデルを提示したなと思います。

――えらてんさんがやっているエデン・バーも、増えていますから。

内田 バンコクにまであるんでしょう。すごい。

矢内 いろいろな話が来ているものですから。

内田 世界中に展開するなんて。ハード・ロック・カフェみたいじゃない（笑）。

第3章

共同体のあたらしいあり方

領域国民国家は幻想（内田）

——ここからは、国家、家族といった共同体にまつわるテーマについて、お話ししていければと思います。人間の共同体は、基本的には家族と全人類しかないわけです。その間はすべてグラデーションしかない。そのなかで、国家を絶対化する風潮があるのが問題です。国家が絶対であることを、誰も疑わない。フィクションとしてやるのはかまわないんですけど、それが絶対になっていて、法律も絶対なものになって、逆らうと「何、それ？」という反応は困るんです。国が定める法律よりも上のものが当然ある。

内田 当然あります。福澤諭吉の「瘠我慢の説」は「立国は私なり」から始まるんです。明治維新の直後に、かつて幕臣であった人間がすっぱりと「国家なんていうのは私的幻想に過ぎない」って言い切っているんです。

矢内 おおやけじゃない。

内田 そうなんです。国家なんてのは私的幻想だよって。ここからここまではうちの国で、国境の向こうはよその国だなんていうのは、ふざけた話だって。そんなもの人間が適当に引いた線に過ぎないわけで、それを守るために戦争したりするのはまるで愚の骨頂だって。でも、たしかに幻想ではあるのだけれども、天下の大勢を鑑みるに、どうやらこの幻想なしに人々はうまく生きていけないようである。だとすれば、国家は幻想だとわきまえた上で、この装置を適切に制御してゆきましょう、と。そういう話なんです。

福沢の根本には「領域国民国家は幻想だ」という冷めた認識がある。でも、手元にはこれ以外に使える政治的資源がない。だったら、「ありものの使い回し」で当座はしのごう、と。そういうあたりが実にリアリストだなと思うんです。いま「立国は私なり」と言い切れる人は、政治家にも知識人にもいませんからね。

矢内 幻想は大事だ。

内田 けっこう大事です。でも、あくまで幻想なんです。国民国家は「想像の共同体」なんです。それをどうやって制御し、運営してゆくか。

矢内 姉が海外で道に迷ったとき、パスポートに「日本国民である本旅券の所持人を通路故障なく旅行させ、かつ、同人に必要な保護扶助を与えられるよう、関係の諸官に要請する」という一文があるのに対して、初めて「ああ、日本人でよかった」と思ったと言っていました。「外務大臣、けっこう頼りになる」と言っていて、なるほどと思いました。

――しかしいま日本政府は、それすら守れなくなりつつあります。海外で何かあると、あいつは非国民だと言って、そこから自己責任論になっている。国家というのは国民を守るためにあるわけで。

内田 日本政府は「国民を守る」という意識が他国に比べてもひどく希薄だと思います。その割には、国民は政府が何とかしてくれるんじゃないかという期待を過大に抱いている。

中国も政府には「国民を守る」という意識が希薄ですから、当然国民も「政府が守ってくれる」なんて期待してない。僕のフランス人の友だちに、パリで巡査をしていた人がいるんですけれど、彼によると中国からの移民の中にはフランスにやってくるとすぐにパスポートを売り払ってしまう人がいるんだそうです。けっこういい値で売れるので、手元に現金のない移住者はまずパスポートを売って金を作る。「この旅券の所持者を保護することを中国政府は関係諸官に要請する」と書いてあっても、中国人は中国政府がそんなことをしてくれると思っていないから。そういう点で言うと、中国の人は、領域国民国家に対する幻想が希薄なんじゃないかな。

――そういう意味では、カルロス・ゴーンは、アラブ人だなと思うんだけど、ほんとうに何の幻想も持っていません。日本にもブラジルにもフランスにも、何の幻想も持っていない。

内田 どこに帰属しているんでしょう。

矢内　レバノンだっけ、あの人？

――もともとレバノン出身。レバノンにももちろん持っていない。ほんとうに、どこでもいいんでしょう。

小規模で鎮圧されるか、パンデミックになるか、どちらかしかない（矢内）

矢内　先ほどの全共闘のお話の中にありましたけど、うちの親も「全共闘は突然始まった」と言っていたんです。いきなりウワーッと大きなうねりが起きた。今日、チキンラーメンの歴史を見ていたら、チキンラーメンも急速に広がったそうです。だから大ヒット商品も大規模な運動も、インフルエンザみたいに小規模で鎮圧されるか、パンデミックになるか、そのどちらかしかないんだと、中間地点はないんだと思ったんです。だからパンデミックになるのか、ほんとに小規模な線香花火で終わるのか、俺にかかっているんだよなと（笑）。俺の爆薬がどれだけ強いか、俺のウイルスがどれだけ強力かだと思っています。

それは木村なり、池田なりのウイルスがどれだけ強いのかにもよる。私はもうできることが少ないので、私が一人でいろいろなところに行って咳をしても、インフルエンザは広まらない。私から感染した人たちがどれだけ感染力を持って、そして保持していけるのかを興味深く見守っています。

内田 伝道者はつねに少数派なんです。少数派であり、自分が果たそうとしているミッションの意味をみんなにまだご理解いただいていないんじゃないかと思うから、情理を尽くして、必死になって言葉を届けようとする。えらてんさんが言われる通り、大事なのは、このあとの「第二次感染者」なんですよ。第二次感染者が周りを見渡して、「二次感染しているのは俺だけか、これはまずい。もっと広げなくちゃ…」と、さらに感染者を増やしてゆく。少数派だし、理解され難いということがわかっているから、情理を尽くして語る。ちゃんと根拠を示して、論理的に、ていねいにわかりやすく語る。手間がかかるんです。だから、ミッションがそんな急に広がることはないんです。短期間に一気に広がるものって、シンプルなスローガンの力によるわけで、あっという間に流行するものは弱いんです。

矢内 なるほど。そうかもしれない。

内田 まだ少数の人にしか認知されないという不遇の時代がある程度続いて、そこの中で強固なウイルスが育っていくと。

矢内 病気だと思わないうちに（笑）。

内田 いまポスト資本主義の局面に入っているわけで、統治形態や経済システムや共同体の制度はどうあるべきかという話をしている。こんな大問題について3年、5年で結論が出るはずがない。場合によっては、半世紀とか、１００年とかいうスパンで、いまやっている実験の適否が検証される。それまではずっと少数派かも知れない。だったら、しぶとく少数派として圧力に耐えるケルンを構築していくしかない。

僕の周りを見渡していても、若い人たちの中では地方に移住する人たちや自分で起業する人たちがたしかに増えています。みんなポスト資本主義の世界をどう生き延びたらいいのかということを程度の差はあれ考えている。成功モデルがないから、それは自分の頭で考えなくちゃいけない。とりあえずは、どんな状況になっても臨機応変に対応できるようなフレキシブルなモデルを選んでいるということはわかります。

去年の暮れから今年にかけて、門人が2人起業したので、両方に出資することになったんですけど、出資と言っても、別に配当があるわけじゃないし、株券を発行してくれるわけじゃないから、お金を差し上げているみたいなものなんです。これまでずいぶん出資してきたけれど、返ってきたことがない。頼まれて20人ぐらいに出資しましたけれど、お金が戻ってきたのは1人だけです。でも、そういうもんですよね。

矢内　そうですね。下をかわいがるというのを文化的に体現していきたいです。食えない人間を食わせることの第二次感染者がでてくるといいのかなと思いながらやっています。

内田 「食えない人間を食わせる」ということを、自分自身あまり食えていない人が言っているところがいいですね（笑）。平川君が言ってたけど、貧乏人を支援するのは貧乏人なんだって。ほんとにそうだと思います。「カネのないやつぁ俺んとこ来い。俺もないけど心配するな」って、そういうものなんですよ。カネのあるやつは「俺んとこ来い」とは言わないんです。カネのない人間だけが、ない人間を支援できる。

矢内 「見ろよ。青い空、白い雲」と言ってね。そのうちなんとかならないか（笑）。

内田 「そのうちなんとかなるだろう」マインドはほんとに大事です。

矢内 今日も食えたし、明日も食えるから大丈夫。その先は知らない。なんとかなるから大丈夫だよって。

内田 そうです。そのうちなんとかなるんです。

もののはずみで家族になるのがいい（内田）

内田 凱風館の基本的なアイデアは「拡大家族」なんです。ヒントになったのはカート・ヴォネガットのＳＦ小説『スラップスティック』（浅倉久志訳、早川書店）。アメリカの大統領に立候補した男が、アメリカ国民全員に新しくミドルネームをつけて、同じミドルネームの人たちは家族だということにしようと提案するんです。ミドルネームは、鉱物や動物、植物と数字の組み合わせ。「ウラニウム9」とか。アメリカ中どこに行っても、同じミドルネームの人がいる。その人たちは家族なんです。だから、集まってボウリング大会をやったり、バーベキューをやったりする。そういう公約を掲げて大統領に当選するというおとぎ話なんですけども、すごく面白かった。知らない町に行ったとき、どこにも自分の家族がいると思ったら、すごく安心じゃないですか。いろいろ条件があって家族になるんじゃなくて、適当につけたミドルネームで拡大家族ができるという発想がいいな、と。

僕が好きな映画監督にジョン・ウォーターズという人がいるんですけれど、彼はボルチモアで「ドリームランダーズ」というチームを率いている。一緒に映画をつくる俳優やスタッフたちの集まりなんですけど、ジョン・ウォーターズ自身がゲイで、社会の周縁にいる人なんだけども、彼に引き寄せられるように怪しい人たちやはぐれ者が集まって一種のコミューンをつくっていて、このチームで映画を作るんです。

オフビートの、変な映画ばかりなんですけれど、それがだんだんと興行的にヒットするようになって、最終的にドリームランダーズはハリウッド・メジャーの映画制作チームになった。メンバーの中で一番有名なのはパトリシア・ハースト。『市民ケーン』のモデルになった新聞王ウィリアム・ハーストの孫娘で、左翼過激派組織に誘拐されて洗脳されて、一緒に銀行強盗をやって捕まって、懲役刑を受けたけれど恩赦で釈放されたという、すごいトラウマ的過去を背負った女性なんですけれど、ジョン・ウォーターズにスカウトされて、ドリームランダーズのメンバーになって、女優として彼の映画に出演して奇々怪々な演技をしているんです。

ドリームランダーズはひとりではうまく生きていけないようなタイプの人たちが集まっているんだけれども、ただ集まって傷をなめ合っているんじゃなくて、映画を作るという具体的な活動をして、経済的な成功を収めている。僕の拡大家族の一つの理想なんです。一人では生きられない人たちが集まって、具体的な活動をして、成功して、注目されて、社会的に高い評価を受けるという流れがいいなと思うんです。

それに考えてみたら、僕は「閉じられた家族」って、もともとあまり好きじゃないんです。子どものころから早く家を出たくて、最初の家出は15歳のときでしたけれど、それは一晩で家に戻された。高校2年で本格的に家出して、数ヶ月外に出ていて、19歳のときに大学に入って、家を出てからは結局二度と家族のところに帰りませんでした。だけど、それは一人で暮らしたいということじゃないんです。だって、家を出て、外で暮らすようになった後も、一人でいたことないんですから。家から出たかったのは、他の人たちと暮らしたかったからなんです。考えてみたら一人で暮らしたことって、68年間の人生の中で、

3年ぐらいしかないんじゃないかな。いつも誰かと暮らしていた。大学に入ったら学生寮に入って、そのあと友だちと一軒家をシェアして、それから友だちとマンションを借りて、それから兄貴と2人で暮らして、結婚して妻子と暮らして、離婚して父子家庭になって子どもと暮らして、子どもが出て行ってから再婚するまでの、3年間だけですよ、19歳からあと一人で暮らしたのは。そして今度は凱風館ができた。ここは下が道場で、2階が住まいなので、間断なく人が出入りしている。僕が2階で仕事をしていると、道場の扉が開いて、誰かが入ってきて、何かして、しばらくすると施錠をする音がして、しんとなる。誰が来て、何をしていたのかよくわからない。でも、自分の家の中を誰かが出入りしているということは僕には気にならないんです。

そういう気質だから、プライベートな空間に閉じこもって、「ここは俺のパーソナルスペースだから、入って来るな」というような感覚って、よくわからないんです。僕がテリトリーを欲しがるのは、私的テリトリーなら他人に開放できるからです。僕が自分で自由にできる空間が欲しいのは、そこをみんなが遊べる場所として公開したいからなんです。

凱風館を作るときも、僕が趣味にあかせて、おしゃれな自宅を作りたいと言っていたら、たぶん誰も相手にしてくれなかったと思うんです。「ああ、そうですか。勝手にしたら」で。でも、僕は自分の家じゃなくて、道場が作りたかった。みんなが使える場所を作りたかった。だから、「そういう目的なら」ということで、母親と兄貴がお金を出してくれた。僕一人のための「趣味の家」だったら、そんなものは自分の私財でやってくれよということになったと思うんです。

「個人は平等」と「家族は特別」は矛盾する（矢内）

矢内 拡大家族というのは、私にはすごく難しいテーマです。

内田 えらてんさんは、原点がそれだものね。

矢内 そうなんです。難しいのは、個人の平等と、子どもや親は特別ということが矛盾しているという点。現実には特別視するけれど、理念としては平等でなければならないというところで分裂してしまう。それがうちの場合、全面的なコミットか、あるいは全面的な敵かなんです。

内田 左翼的ですね。

矢内 父がもう死んでいて、いま現在、母が率いる共同体と私は絶賛ケンカ中なんです。この先どうなるかわかりませんけど。

私が生まれたとき、25歳上の兄はもう共同体を離れていたけれど、私も兄と、外の人としての交流はあるんです。でも兄は、離れた兄として存在できない。一般的に家族というものは、子どもが生まれて、就職して、家を出て結婚しても、盆と正月は家に帰るということが、家族形態としてあると思うんですけど、それが許されない。

僕はヤマギシ会に中田先生と一緒に行ったことがあるのですが、ヤマギシ会では「無所有一体」と言って共同生活をしているけれども、子どもが18歳になった時点で、ヤマギシ会に残るか外に行くかが選べるんです。「それで出て行った子はどうなるんですか」と聞いたら、「盆と正月ぐらいは帰ってくるよ」と言われて、私はすごくショックを受けました。自分の共同体にとって、出て行った兄貴というのはタブーなんです。

だから、うちの共同体がまずかったと言ったらそれでおしまいなんですけれども、それがマルクスの言う平等だったのかというとよくわからない。マルクスは平等という言葉をあまり使っていないと思うんです。

私は、結婚してからようやく自分の家族を特別視するということができるようになりました。人類みな平等なのだとしたら、自分の妻だけを愛して、あるいは財政的に優遇するということができない。だって平等でなければいけないなら、自分や自分の妻が、拡大家族よりもいい生活をしているのは横の共同体の中でのパスがうまくいっていないということであって、仮に私が共同体のリーダーならば、一番貧しくなければならないということになってしまう。

最近、だからもう拡大しないようにしようという想いがすごく強くなっています。内田先生の言う、自分の空間をパブリックにするという点では、私は、けっこうパブリックにしたがるのですが、妻は、どちらかと言うとプライベートにしたがるので、私も妻につき合って、最初は嫌々プライベートにしていたら、プライベートは心地いいと思うようになりました。

これまで私は常にいつ誰が来てもおかしくないという状況、それこそ警察が踏み込んで来ることも含めて、いつ突然の来襲者が来るかわからない、誰がいつ来るかわからないという状況で暮らしてきて、それが当然と思っていて、そうあるべきだとも思っていました。

ですから、私はどんどん家を開いていきたいと思っていたのですが、妻は、誰かが家に来て、料理をして汚れて、なんでこれを私が洗わなくてはいけないのかと。それは、常に元の状態に戻しておけばいいという問題でもなくて、私が完全にプライベートにして思ったのは、いつでも寝られるところがあるということ。内田先生の話でいうと、中間緩和地点が必要だと思うわけです。内田先生の、ご自身が開きたいという気持ちはすごくわかりますし、そこに赤ちゃんが来たらいいという状態を作ることもわかるのですが、やはり一次責任者たる父親とか母親はいてそこには否定しがたい特別な絆というのが発生してしまうということを、最近ようやく認められるようになったんです。

内田先生がパブリックにするということを超えて、門人にもパブリックにすることを求め出すとまずいというか。これまで私もそれをしていたし、うちもそれをしていた。だけど中田先生が「突然の来訪者がいやだ」と言って、突然の来訪者はいやだと思ってもいいものなんだと。

内田 いやですよ、突然の来訪者なんて。アポイントしていないやつが来ると追い返しますから。

矢内 そこがようやく納得いくようになってきたと言いますか。

——矢内さんのお母さんのところはすごくパブリックな場所ですけど、凱風館はそんなにパブリックではないですよね。

矢内 うちはパブリックすぎる。

——働いて全面的にコミットしてくれる人なら誰でも受け入れてくれるから。拡大家族にしても門人の世界なら秩序は保たれます。秩序を重んじる人間しか来ないですから。アジールのように避難所を求めてくる人間を歓迎するけれども、あくまでも尊敬がなければそもそも来ない。

矢内 本当にそうなんですけれども、それを表立って言えない。人類皆平等だから。

内田 人類皆平等とは、思ったことがないなあ。

矢内 それがイデオロギーとして存在しつつやっています。マルクスが家族の廃棄を言って、資本主義に基づいて、すでに廃棄されていると言っていたのですが、「いや、家族、存在したなあ」というのが僕の最近の気付きです。だから私は自分の息子を特別にかわいがっていいいし、自分の娘を特別にかわいがっていいんだということに、最近気づいたんです。

内田 それは苦しかったでしょう。

矢内 結婚した結果です。

凱風館の合同墓をつくった（内田）

内田 いま凱風館のまわりでは共同保育がされています。凱風館ができてすぐくらいの頃から、周りの子たちが次々に結婚して、次々に子どもを産み出したので、赤ちゃんたちがいつも道場まわりにいるようになったからです。すぐ近くに海運堂という凱風館からのスピンオフの施設があるんですけども、そこが主体となって共同保育を始めました。とりあえず、何かあったら、海運堂に子どもを連れて来ればなんとかなる、と。そういうような状態を作れればいいなあと思っています。

もう一つしたいことがあって、それは合同墓です。「ゆりかごから墓場まで」ですから、子育てを支援するなら、当然、死んだあとの面倒も考えないといけない。そこで去年、如来寺の釈徹宗先生に相談して、凱風館の合同墓というものを建てました。
凱風館周りでも、お墓のことで悩んでいる人って、けっこう多いんです。ある程度の年齢になって、独身で、子どももいないという方にとって、お墓の問題って気になるんです。親の代までの墓は自分がなんとか守るけれども、自分が死んだあと、いったい誰が自分の墓の面倒をみて、自分の霊を供養してくれるのか。いまは「墓じまい」といって、累代の墓を片づけてしまうケースが増えていますけれど、お墓は片づいても、誰が供養するかという問題は片づかない。それなら、凱風館でお墓をつくればいい、という話になりました。
土地は釈先生に探して頂いて、墓碑は凱風館を設計した光嶋裕介君にデザインしてもらって、墓を建てました。如来寺でも、一人暮らしで、あとを供養する人がいない檀家さんのために合同墓を建てたので、凱風館のと二つ並んで立っています。うちのお墓にはまだ私の両親の骨しか入っていないんですけども、これから順に凱風館にかかわりのある人たちのお骨を納めてゆきます。もちろん、ご自分のお墓がある人は、そちらに入って頂いていいんですけれど、こちらに分骨してもらえば、凱風館が続く限り、未来永劫にご供養します。

――場所はどこですか？

内田 大阪の池田です。釈先生の如来寺のすぐ近くの山の上です。共同育児ということの必要性はどなたでもわかると思うんです。育児経験者や、同時期に赤ちゃんを育てている人がそばにいて、情報提供し合ったり、ベビー用品を融通し合ったりできたら、たいへん便利です。凱風館に子どもたちを連れて来ておけば、畳の上を転げまわっているだけですから、とりあえず安全だし、誰かがいつも見ていられる。

でも、そういう具体的な便利さだけでは子育ての環境として十分ではないんじゃないかと思ったんです。子どもがすくすく育つ環境というのは、言い換えると、老人が安心して死ねる環境と同じものじゃないか、と。「開かれた共同体」というのは、みんなで赤ちゃんを育て、みんなで弱った人を支え、みんなで死者を送るという機能を果たすものではないか。そう考えるようになりました。

子どもが生まれるというのは、まだこの世に存在していないものを共同体に迎え入れるということですよね。死ぬというのは、共同体のメンバーをあの世に送り出すということですよね。どちらも、この世の現実の「外」とかかわりと持つということです。「生まれる前の子どもがいる世界」と「死んだあとの人がゆく世界」って、この世の外側じゃないですか。この世の外側なんだけれど、ほんとうに薄い壁一枚で、この世と隔てられている。すべての人がその壁を通り抜けて、子どもとして迎え入れられ、死者として送り出されてゆく。そのような「外部」とつながる通路を持っているということが「開かれた共同体」

の必須の条件なんじゃないかなと思うんです。

これは海運堂ができたり、合同墓を建ててから、そう思うようになったという「後知恵」なんですけれども。よく考えてみたら、「ゆりかごから墓場まで」をケアするのが共同体の仕事なんだと思って。これはいまは家族がやっていることですけれど、核家族でこういう仕事を全部引き受けるのって、ちょっと無理があると思うんです。こういう仕事は大人数でこなさないと。

赤ちゃんが生まれたら育てて、誰かが病気になったり、失業したりしたら生活を支えて、誰かが死んだら送り出して、末永く供養する。そういう仕事をいまふつうのサイズの家族ではもう担い得なくなっている。だったら、何か別のものがその仕事を代替しなければいけない。昔だったら、終身雇用の企業が一種の疑似家族として、そういう仕事のかなりの部分を担ってくれた。うちの父親がサラリーマンだった頃は、部下の縁談を調えたり、体調を崩した部下のケアをしたりということはちゃんとした上司ならふつうにやっていましたし、葬式なんて、だいたい会社の総務が全部仕切ってくれた。でも、現代の企業はもうそんな仕事はしてくれないですよね。死亡記事によく「家族だけで葬儀は済ませました」と書いてありますけれど、昔はまずそんなことはなかったんです。あれは言い換えると、家族以外で葬儀を仕切ってくれる人たちがもう制度的にいなくなったということですよね。

終身雇用制度がなくなったので、勤め先の人たちと長期にわたって疑似家族的なつながりを持っているというようなことはもう見ることができなくなった。

企業がその役割を果たせなくなったら、それに代わる何があるだろうか。血縁共同体が解体し、地域共同体が解体し、終身雇用制度が解体したら、いったいどんな集団が家族に代わって、生まれてくるものを歓待し、死者を供養するのか。そういう仕事は個人では果たせないわけですよ。世代を超えた仕事なんですから、集団でしか果たすことができない。だとしたら、どういう集団を設計すべきか。別にそういうふうに主題的に考えていたわけではないんですけれど、結果的にこういうものができた。

ヤバそうな人には家を貸したくないという大家が増えている（矢内）

――最近、老人は家を借りられないという問題があります。孤独死していくからです。

矢内　部屋の処理が大変。いま借地借家法というのは、借り主有利になっていて、そんじょそこらのことでは追い出せないようになっているので、大家は自衛手段として、ちょっとヤバそうな人には最初から貸さなくなっています。私なんか全然貸してもらえない。だから一見、弱者の保護につながっている文言の法律ができたときに、結果的にそれが弱者の首を絞めることがけっこうあります。最低賃金にしてもそうです。

内田 事故物件になってしまうと、いきなり資産価値が目減りしますからね。家賃が安いから事故物件に住んでいるという人もたまにいますが。でも、人が自殺した部屋とか、殺人事件があった部屋に住むのは、身体によくないと思うけどなあ。これから孤独死の事故物件は増えるでしょうね。不動産屋さんは告知義務があるから、たいへんですよ。

――孤独死用のアパートを経営しましょう。「孤独死、歓迎」。

矢内 高齢者は保証人もいない人がけっこう多い。

内田 高齢で、独身で、親も子どももいないという人は、これからどんどん増えていきますからね。その人たちが賃貸の物件を借りられないのは、すごく深刻な問題ですよ。

矢内 終の棲家にしようと思っていたのに立ち退きにあったおじいさんの家探しを手伝ったんです。結局、なんとか区のアパートにギリギリ入れました。

内田 何歳ぐらいから貸してくれないのですか？

矢内 70歳くらい。でも定年退職されて無職だと、新しく賃貸を借りるのはたぶん難しい。

内田 収入が年金だけでは無理でしょうね。住宅自体はこれから余ってくるのに。

――宗教の一つの使命には、周囲に誰もいない人間をどうやって慰めるかということがあります。

ただ、一般の宗教はそれに対応できる体制になっていませんので、大宗教は官僚化しているので、弱者には寄り添いません。これから本当に深刻な話になってきます。物質的なことや制度だけでは解決できない問題に宗教の使命があると思うんです。

組織がうまくいくために必要なのは平等な無関心（内田）

矢内　私は育児において一次責任者がすごく大事だと思っていまして。妻が基本的には育児の一次責任者で、たとえばレストランに行くと、妻がトイレに行くときに、「息子を見ていてね」と私に言います。そう言うほうが一次責任者ですが、最近、私も「ちょっとトイレに行くから見ていてね」と妻に言うようになってきた。出産1ヵ月前なので、そうせざるを得ない状態で、一次責任者とはそういうものなんだと。

内田　拡大家族であっても、門人共同体であっても、道場の場合は僕が第一次責任者なので、僕をハブにして、集団が形成されている。その場合にも、人間関係の濃淡というのは当然あります。親疎の距離もあるし、好き嫌いももちろんあるし、信頼できる人、あまり信頼できない人、来てほしい人と、「来ちゃったか、あいつ」という人、そういう違いはあって当たり前です。僕は、道場の門人たち全員に対して等しい愛を注ぐことはできないので、どちらかというと、等しく無関心にすることにしてます。

長くいろいろな組織を経験して、自分が組織を率いてある程度うまくいくためには、おっしゃる通り、全員がある程度平等である必要があるんだけど、僕には平等にみんなを見つめることはできないんです。でも、平等に無関心であるということならできる。

もちろん、親しくしている人もいますけれど、それでもあまり関心は持たないようにしています。僕も人間ですから、個人的な好悪はある。でも、好悪を調整するときに、一人ひとりについて、そのつど適正な距離をとるというのは面倒ですから、はじめから全員と等距離を取るようにしている。

それは僕自身の師匠から学んだことでもあります。多田先生の場合、門人が数千人いて、その全員が先生に「自分だけを見て欲しい」というふうに切望しているわけですから、誰とも均等に距離をとっている。僕は師匠に就いて修業して四十数年になりますが、いまだに先生は僕の名前を間違えたりするんです（笑）。前に免状を頂く時に、横にいた人が僕の名前を間違えて「うちだたづる」って読んだら、先生そのまま読むんですよ。あとで「先生、僕『たづる』じゃないですよ」って言ったら、「違うんじゃないかと思った」って笑うんです。そういう先生の距離感て絶妙だなあって思いますね。

一昨年イタリアのラスペッツィアというところで多田先生が主宰されている合気道講習会

があって、先生と同じホテルに泊まっていたんですす。毎朝ご飯をご一緒していたんですけれど、最終日の午前中にイタリア合気会の評議員会があって、先生は最高師範ですからもちろん会議に出なきゃいけない。朝ご飯のあとコーヒーを飲みながら、僕とおしゃべりしていたら、イタリアの方が「先生、そろそろ会議が始まります」って迎えに来たんです。先生は「いま行く」と返事したけれど、そのまま僕としゃべり続けている。僕もお話が楽しいから先生としゃべっていた。またしばらくして「先生、会議が始まりした」って迎えが来たんです。それにも「ああ、いま行く」と言いながら、相変わらず僕としゃべっている。さすがに30分ぐらい経って「先生、行かなくていいんですか?」と言ったら、「いいんだ。イタリア人はしゃべるのが好きだから、話させておけば」って(笑)。

イタリアで多田先生が何千人かの弟子を束ねて半世紀やってこられたのは、こういう微妙な体温の低さが与っているんだろうと思いました。弟子たちみんなに等しく愛と関心を注ぐというようなことは誰にもできません。それならいっそ等しく無関心でいた方がいい。これはたぶん学問的な師弟関係でも、宗教的な師弟関係でも同じじゃないかと思うんです。イスラムでも、多くの弟子を持っている師が弟子たちの誰かに選択的に強い関心を持つとか、誰かを嫌って遠ざけるとかいうことはしないんじゃないですか。それより等しく関心が低い。そういうバランス感覚が必要なんじゃないかと思うんです。それはもちろん公平さに対する気づかいなんですけど、ふつうは「等しく関心を持つ」という方向に努力するけれど、ベクトルが逆なんです。

パブリックとプライベートも僕はふつうとはベクトルは逆になっている。僕は自分が自由に処分できる私有財産を増やしたいんですけれど、それは僕の自由になるなら、それを好きなだけ公共的なところに注ぎ込めるからです。利己的な人間が個人資産を溜め込んでしまうと、資源が公共的なところに回らなくなる。でも、僕のところに集めてくれたら、資源をどんどん公共的なところに回す。公的機関に供託するより、僕に預けてくれた方が公的な使途に流れるのが早い。

市民たちが自分の生命や財産や自由を安定的に確保しようと思ったら、私財の一部を公共に供託し、私権の一部を公共に委譲することが一番安全です。全員が私財を抱え込み、私権を最大化しようとしたら、「万人の万人に対する戦い」になる。安定的に私財と私権を確保するためには、ことの正否を判断し、不法行為や人権侵害実力で抑制し、処罰できる公共を立ち上げる必要がある。私財と私権を安定的に確保したければ、私財の一部と私権の一部を公共に供託しなければならない。ほんとうの意味で利己的であるなら、人間はある程度までは非利己的にふるまうはずである。これが近代市民社会を基礎づける理屈です。

「万人の万人に対する戦い」なんてことが歴史的にほんとうに存在したかどうかはわかりませんけれど、近代市民社会を基礎づけるためにこういう「お話」を持ってきたことは適切だと思うんです。私財・私権の一部を差し出すことなしには公共は始まらない。僕はそう考えています。公共というのは自然物のようにそこにごろんと転がっているわけじゃない。私財を投じ、私権を自制することではじめて公共的なものが立ち上がる。だから、私財を投じ、私権を自制することを「当然だ」と思っている個人のところに資源や権力を集めるのが公共を豊かなものにするためには一番の早道なんです。だから、権力も財貨も情報も僕のところに集めた方がいいですよ。悪いようにはしないから（笑）。

矢内 パブリックにするというと、具体的にどういうことになりますか。たとえば凱風館は誰に対して開かれていて、誰に対して開かれていませんか。

内田 線引きの基準になるのは、「場に対する敬意」があるかないかです。凱風館という場に対して敬意を持っている人には場は開かれているけれど、敬意を持てない人には扉は開かれない。

矢内 どういうふうにそれを排除しますか、来ないでくださいといいますか。あるいはもともと来ない？

内田 もともと来ないですね。来ても、そういう人を弾き返す「見えないバリアー」がいくつか用意されている。廊下から畳敷きの道場に入るときに最後の敷居があります。ふつうの人はそこで一度立ち止まるんです。神社の内陣とか、お寺の本堂に入るときに、空気が変わる線がありますけれど、それと同じです。そこで空気が変わる。それがわかる人とわからない人がいる。わからない人は道場に用のない人です。

家父長制は愛情がベースではなく責任感がベース（内田）

——家族というのはあくまでも礼儀、一緒にご飯を食べるというようなことが中心で、愛情はあればいいというくらいのものであるとおっしゃっていましたね。

内田　父は5人兄弟の四男なんですけれど、戦前、長兄は札幌にいて道庁の役人をしていた。次兄は建築技師で長崎にいた。原爆が長崎に落ちて、僕の伯母と2人の従兄は死んで、伯父は大火傷を負って入院した。長兄はそれを聞いて、敗戦直後の1945年の夏に北海道から九州まで弟を探しに行ったんです。

そして、大火傷を負って入院している弟を見つけ出して、札幌まで担いで帰った。でも、その長兄と次兄って、別に特に仲が良いわけじゃないんです。お正月とか兄弟が揃うんですけれど、長兄にはみんな遠慮して口もきかない（笑）。

僕の父親も北京で終戦を迎えて、1年後に無一物で帰ってきて、まっすぐ札幌に行った。兄のところに転がり込んで、あれこれ支度をしてもらって、それから東京に仕事を探しに出て行った。困ったとき、兄弟たちはみな長兄のところに転がり込んでくる。伯父はそれを黙って受け入れて、世話をした。道庁の一技官ですから、たいした給料をもらっていたわけじゃない。祖父も貧乏な小学校教員だったから、伯父は家督を継いだといっても、家族の面倒を見る義務以外には「いいこと」なんか何もなかった。それでも、黙って家長の義務を果たしていた。

昔の家父長制にはそういう側面もあったんです。特に愛情豊かだったわけじゃないし、それほど親密だったわけじゃない。でも、家長は家族のメンバーの面倒をとことん見るという家長の義務を果たしていた。お正月に内田家の兄弟は全員が長兄の家に集まって、お年賀をするわけです。弟たちはみんな長兄に対してすごく物腰が丁寧なんですよ。こういうのが封建的な家父長制なんだなと思っていたんだけど(笑)。ずいぶん経ってから、実は弟たちはみんな長兄に返せないほど世話になったという話を聞いて納得しました。でも、伯父はそういう恩着せがましいことを一言も言わない人だった。そういうところが、昔のパターナリズムの良いところだったと思うんです。愛情や共感がベースにあるのではなく、責任と義務がベースにある家族制度だった。

――それが制度としてあった上で愛情を育んでいかないと続かないのだと思います。

内田　パターナリズムがうまくゆくか失敗するかの分岐点というのがやっぱりあると思います。それは家長がメンバーに対して屈辱感を与えるということです。家長が責任を果たすことより、権限をふるって威圧的に臨むことを優先させると、家父長制は空洞化する。メンバーたちの間に適切な「礼儀正しさ（decency）」というものが確保されていないと、権力的な人間関係は成立しないんです。パターナリスティックだけど礼儀正しい共同体ってあり得ると思うんです。いま、パターナリズムというと全部ダメということになってしまいましたけれど、パターナリズムがダメになるのは、メンバーの間にディセンシーが欠けている場合なんです。距離感と言ってもいいし、敬意と言ってもいいし、あるいは無関心と言ってもいいのですが、そういう「家族が何を考えているかはわからないけれど、自分が彼らのために何をしなければいけないのかはわかっている」というのが家長の条件だったと思います。「お金貸して」と言われたら、「何に使うんだ」とくどくど聞かずに「はい」と差し出す。それができるためにはある程度の無関心さが必要になる。家族に対してうかつに愛情や興味があると、つい「何に使うんだ」とうるさく訊くことになる。それはしちゃいけないことなんです。家長にものを頼みに来た家族にその内面をくまなく開示しろと要求することは相手に屈辱を与えることなんです。

上位者がメンバーに屈辱感を与えるか、与えないか。それがパターナリスティックな組織が成立するか否かの分岐点だと思います。あまり言う人がいませんけれど、「ディセントな組織」というのは、要するにメンバーに屈辱感を与えない組織ということなんです。どんな組織や集団でも同じです。正しい目的をめざしている集団であっても、効率的に組織されている集団であっても、上位者が他のメンバーに対して屈辱感を与えることが許されていたら、いずれ空洞化して、崩落します。集団を蝕むのは、パターナリズムそのものではなくて、ディセンシーの欠如なんです。

出禁になるのは えらいてんちょうを偉いと思っていない人（矢内）

――親分と子分の理想の関係をどうやったら作っていけるのでしょう。

矢内 私は「えらいてんちょう」と名乗ることによって、俺は偉いんですよということを示していますけれど。

内田 「えらいてんちょう」というのはすばらしいネーミングです。

矢内 それこそ、先ほどの話で言えば、「エデンで出禁になる人はどういう人なの」と言われると、

「えらいてんちょうを偉いと思っていない人」（笑）。ほとんどそれだけです。僕が一店舗の責任者だったときは独裁なんです。「なぜ出禁になったの？」「いやだから」で済む。酔っぱらって暴れたからとか言って即出禁になるわけではなく、それでも許される人はいて、わかりやすく言えば、その場の責任者のことを偉いと思っているかどうかだけが、最終的な基準になるでしょうか。

だからとりあえず私はリーダーになるべく「えらいてんちょう」と名乗っておこうと自分で名づけたわけです。これまで自分がリーダーとして共同体を作っては失敗しの歴史の中で、もうそれだけにしておこうと（笑）。

内田 前も何か集団を作ったことがあるんですか？

矢内 これは本当にいろいろありまして。

――でも、えらいてんちょうというのは、『先生はえらい』（ちくまプリマー新書）からきたんですよね。

矢内 そうそう、内田先生の『先生はえらい』から。この本を読んで、感銘を受けたんです。たとえば誰かが死んだときに、まず速報が伝えられる。「そのときになぜ俺に伝えてくれないんだろう」と思う人が家族であると。

たとえば今日ここに来ている、友人の藤野のお母さんが亡くなられたとして、そのことをお葬式が終わってから知ったとしても、別に私は「ご愁傷様でした」と言うだけで「なぜすぐに私に知らせてくれなかったんだ」とは思わない。でも藤野本人が死んだら、「なんで私に知らせてくれないんだ」と思うでしょう。その範囲が自分にとっての家族だというのが、すごくしっくりきました。

だから「こういう人に来てほしい」「こういう人はダメだ」と、いろいろな条件をつけるとリーダーとしては失敗する。もし条件をつけるのであれば、最低でもそれが明確でないと。憧れない人は来なくていいという共同体がたくさんあることがいいのかなと思っています。

内田 うちも破門はあります。これまで門人を2人破門にしたことがありますから。

矢内 どうしました?

内田 僕の稽古の方針を批判したのです。僕の稽古の仕方が間違っていると思うなら、自分で道場を開いて、自分が正しいと思うやり方で弟子を育てればいいわけです。ご自由にされたらいい。僕の教えていることを間違っていると思いながらこの道場にとどまる必要は何もない。僕のやっていることは間違っていると思うなら、すぐにこの道場から出て行って欲しい。そういうことです。

——建設的な批判や助言と、そうでないものとは、どういう違いですか。これはもう感覚ですかね。

内田 そうですかね。でも、建設的な助言というのは、なんでしょう。

矢内 リーダーを偉いと思っているかどうかです（笑）。

――結局、そういうことになる。

考え事なんかせず、他人の頭で考える（矢内）

矢内 普段からの信頼関係はすごく大きいと思います。僕は常にスマホをいじっているんですけど、寝る前もずっとスマホをいじっていて、妻に、「だから寝られないんだよ」「考え事とかしたらいいんだ」と言われたんですけれども。考え事って僕、したことがなくて。してみようと思っているんですけれども。

その代わりにどうしているかというと、たとえば誰か「ほう、ほう」と言ってくれる人が周りにいるときにベラベラしゃべる。口から出てきたことで思いつく。だからそういう人が常にそばにいてくれるのは大変ありがたい。

これは母から私が教わったんですけれども、他人の頭で考えるという方法です。自分の頭で考えることなんか一切なくて、人に言って、そのリアクションで考えを進めていけばいい。だからたとえば何かをしゃべるときに、しゃべりにくい人は、もうそれだけでいやなんです。

たとえば私は思いつきでしゃべり続けているから、何かを言っても、たくさん穴があるのに決まっている。でもその中に面白いことがあるかもしれないと思ってくれる人がいて「全然適当に言っているんだけど」と思いながらも横にいて聞いてくれると、結果的に思いつくんです。思考のチャンネルが開かれて、湧いて出てくる。私は別に門を開いているわけではないので彼らは門人ではないんですけど。内田先生は考え事をしますか？

内田 しないですね。僕も考えるより先に出力しているから。しゃべりながら、書きながら、考える。

矢内 やはり。

内田 出力しないと自分が何を考えているかわからないじゃないですか。

矢内 そのフィードバックを見て考える。

内田 教師は、目の前に学生がいて、フィードバックしてくれるのがありがたいです。実は教師は学生たちにコントロールされているんです。それまでつまらなそうに頬杖ついていたのが、目をきらりと光らせて、ペンを手にしてノートを取り出したりすると、「お、いまオレはいい話をしているんだな」って（笑）。深くうなずいたりしてくれると、もういくらでも舞い上がりますよ。本当にわずかなリアクションだけで十分なんです。目を光らせるとか、にっこり笑うとか。もうそれだけで講義の内容が劇的に変わる。だから授業って、教師が教壇から一方向的にしゃべっているように見えても、本質的には双方向的なものなんです。

矢内 僕にとってはツイッターとYouTubeがまさにそれです。いっぱいリツイートされると、俺、いいこと言ったのかなとか、YouTubeは若干アルゴリズムによって人が流入する場合もあるので、再生数が多いから人気ということでもなく、再生数が低くてもフィードバックがいっぱいあったりするものもあります。だけど基本的にはやはり再生数を伸ばすことを考えて作るんです。誰かが見てくれないと仕方がないから。それで僕が『カイジ』(講談社)について話した回があるんです。『カイジ』という福本伸行さんが描いた漫画があって。

内田 知ってます。

矢内 『カイジ』のなかに、班長というキャラクターが出てきます。敵キャラで。

内田 僕は前半の方の限定ジャンケンと高層ビルの鉄骨を渡るエピソードまでしか読んでいないなあ。

矢内 『カイジ』は、本当に人情のない世界なんです。

内田 みんな裏切るんだよね(笑)。

矢内 はい。カイジだけは裏切らないのですが、でも裏切られる。人間って非情だよねという世界観で、その中でカイジが借金を背負って地下で強制労働させられる回があって、その強制労働施設のE班という班を統括する班長というのが出てくる。

内田 その人も借金漬けなの？

矢内 その人も借金漬けで地下に落とされたんだけど、地下に落とされてから、そこの班長として、ほとんど借金取り側と結託してさらに利益を吸い上げる敵キャラとして描かれているんです。班長には、2人側近がいて、班長はいかさまギャンブルで大儲けをします。いかさまサイコロで大儲けして、それをカイジに見破られて、石を投げられて、それで負ける。

そのとき、側近2人は班長の不正を知っているんです。『カイジ』の世界観だと、班長は当然、部下に裏切られるはずですが、カイジの集団が民衆を味方につけて石を投げている間に、側近たちも班長と一緒に正座して、石を一緒に投げられるんです。要するに、『カイジ』の世界観であれば、「いや、俺は不正なんか知らなかった。この班長はとんでもないやつだ」と言って、一緒に石を投げる側に回ってもいい部下が、一緒に石を投げられて、肩をすくめている。その側近は石和と沼川というのですが、班長のほうも「石和、沼川！」と言って、2人は何も言わずに顔をそむけるというシーンがあって。それを見て班長の立場はすごい、と。『カイジ』のキャラクターの中で唯一、親分であると言いますか、立場が悪くなったときに、この人の立場が悪くなったからには俺も立場が悪くならなくては、と責任感を持っている。班長は敵キャラで、小銭稼ぎで不正をしてカイジに倒されるキャラクターなので当然、人気がないのですが、僕はそのキャラクターがすごく好きです。『カイジ』の世界にあって、部下をかわいがって有事のときにも裏切らない。ほかにもいろいろといいところがあって、彼の魅力を10分ぐらいしゃべるというただそれだけ。このテンションでずっとしゃべり続ける。

内田 YouTubeで。

矢内 4万回ぐらい再生されたんですけど、ほかよりも著しく再生回数が低い。

内田 (笑)。

矢内 誰も班長の話は聞かないんです。

内田 そもそも『カイジ』を読んでいないとね。

矢内 『カイジ』を知らないし、班長も知らない。ですけど、その動画から来たファンがいて。

内田 それが熱いファンなの?

矢内 そう、熱いんですよ。「班長の動画、めちゃくちゃ良かったですよ!」と。そんな話が受けると思いませんでした。班長の話はツイッターでも少し書いていたんです。すると普段のツイートに比べて全然リツイートは少ないけど、熱狂的に歓迎する一部の人がいる。おかげで、動画も撮らざるを得なくなりました。

名著の条件は人気がないこと（内田）

内田　NHKの教育テレビの『100分de名著』という番組のプロデューサー秋満吉彦さんと対談して、「名著の条件は何か」という話になったときに、歴史的な風雪に耐えて長く読み継がれる作品の条件は「あまり人気がないこと」ではないかという話になったことがあったんですよ。ベストセラーになって、読者がいっぱいいて、批評家からも絶賛されて、作品の内容がひろく理解されて「あれはいいね」という作品だと、それについて熱く語る必要ってなくなる。そういう作品はむしろ歴史的な風雪に耐えて読み継がれる可能性が減るんじゃないかという話をしたんです。適切に評価されて、正しく解釈されて、ひろく理解され受け入れられた作品の場合、「この作品のよさをみんな理解してくれていない」と思ってじたばたする人がいないでしょ。「こんなに素晴らしいのに、なんでみんな理解しないんだ！」と地団駄を踏む熱狂的な一部の読者は「この本の真価を世に知らしめることこそ私のミッションだ」と思うようになる。少数だけど熱狂的なファンが「誤解され、正当な評価を受けていないこの作品の価値を世に知らしめ、後世に伝えるのが私の使命だ」と必死になって伝道活動をする。そういう熱狂的なファンを何世代かにわたって獲得し続けることができる作品や作家のほうが生き残る確率が高いのではないのか。そういう話をしたんです。

矢内 使徒みたいな感じですね。

内田 たとえばサルトルとカミュだったら、サルトルの方が同時代的には理解者が多かったわけです。論壇における評価も高かった。カミュ＝サルトル論争では、誰が見てもサルトルが圧勝して、カミュは完膚なきまでに論破されたとみんな思った。だから、「サルトルはまだ十分に理解されていない」とか「サルトルには謎が残されている」というような人はまずいないわけですよ。サルトルについてはもう十分に理解が行き届いているということになっている。でも、カミュは違う。いまだに熱狂的なファンがいて、カミュは正当に評価されていない、カミュこそ20世紀で最も偉大な作家であり哲学者だと説いて回る熱狂的なファンがいる。僕みたいな。そうすると不思議なもので、カミュはもう死後50年を過ぎましたけれど、生前に比べてじわじわと評価が上がっている。人文書院のサルトル全集はかつては文系の学生の書棚には必ず並んでいましたけれど、もうほとんどが絶版になっている。でも、カミュの作品は代表作はいまもほとんどが新潮文庫で読めるし、新訳も文庫版で次々と出ている。それは「カミュは十分に理解されていない」と信じているファンがそれだけ多いからだと思います。

漱石と鷗外にしても、そうですよね。漱石鷗外と並び称されますけれど、いま読まれている作品は圧倒的に漱石の方が多い。研究者の数も学術論文数も漱石研究の方が多い。それは鷗外については「鷗外はちゃんと理解されていない」と不満に思っているファンが少ないからなんです。文豪として盛名を馳せ、軍医総監として輝かしいキャリアを誇ったせいで、「鷗外は適切に評価されなかった」という欲求不満を抱いている人が少ない。だから、鷗外について自分が研究しなければその真価はついに世に知られずに終わるだろう……というような誇大妄想を抱く大学院生はまずいません。でも、漱石にはそういう熱狂的なファンがいる。

だからいまの『カイジ』の班長も「班長の真価を世に伝道するのが私のミッションだ」というふうに熱くなっている人がいると、そこに「伝道共同体」ができる。実数は多くなくても、そういう人たちが一定数いると、物語は時代を超えて語り継がれてゆく。

――ドストエフスキーとトルストイもそうですね。一番はっきりした例はキリストですけれど。確かに謎がないものは残らない。いまはやっているものは、結局消えていくものです。

内田　文学研究と無縁の素人でも、昨日今日読み出した「にわか」研究者でも、「おお、ここに謎があるが、俺はこの謎を解いた」とか「いままでの研究はすべてこの文章の解釈を誤っていた」というようなどきどきするアイデアが湧いてくる作品があるんです。そういうふうに素人にも「取り付く島」があるのが歴史の風雪に耐えて残る作品じゃないかな。

――そういうものをなくしていくというのが、いまの教育ですよね。とにかく全部わからないといけない、わかった気にならないと安心できない。

内田 そんなの、わからなくてもいいじゃないですか。国語の問題で「作者は何が言いたいか?」というのがありますけれど、そんなのわかるわけないですよ。書いた本人だってよくわかっていないんだから。国語の試験問題によく使われているので、たまに送られてきた問題を読みますけれど、答えわからないですよ。前に高校の先生から手紙が来て、僕の文章が試験に出て、模範解答はこうなっているけれど、どうも納得がゆかない。これでいいでしょうかと訊いてきたんですけれど、そんなこと知らないよ(笑)。何でそんなこと書いたのか自分にだってわからないこと書いているんだから。

矢内 確かに、なぜ班長に惹かれるのかもよくわからない(笑)。

内田 よくわからないから面白いんですよ。えらてんさんは側近の2人ではなく班長に惹かれたの?

矢内 そう。

内田 その解釈は何かあるんですか? すべての人は裏切るという『カイジ』の世界において、

なぜこの2人は裏切らないのか。

矢内 謎です。なぜ作者がそういうふうに書いたかも謎ですし、班長以外の高位の人間も恐怖で一時耐えている以外は裏切られます。カイジに裏切らない仲間ができたような描写もあるのですが、その後、班長を一緒に倒した仲間は露骨に裏切るんです。だからなんでこの班長が出てきたのか、理由がわからない。

内田 漫画家も別に全部コントロールしているわけではありませんからね。

矢内 その通りです。

――言葉はすべて神の言葉で、自分で考えているというのは間違いなので。本当は浮かんでくる。

内田 日本の漫画家は制度的に憑依されやすいんです。寝ないから。週刊誌連載って日程がめちゃめちゃタイトなので、締め切り前は2日3日寝ないで描いてるでしょ。だから、トランスしちゃうんです。フランスのバンド・デシネは、長い時間かけて納得するまで描いて、完成してから出版社に持ち込んで、それから本になる。特に締め切りというものがない。だから、あれだけの描き込みができるわけです。でも、日本の場合って、編集者が泊まり込んで、みんな寝ないで興奮しているわけですから、もう天の声が降りる以外に完成しようがない。

単純作業より専門技能を使う仕事のほうが安い（矢内）

――漫画はとにかくアシスタントを使わないとやっていけない世界ですが、アシスタントの時給は1000円だといいほう。

矢内 単純作業より専門技能を使う仕事のほうが安い傾向があるんです。

内田 どうしてでしょう。

矢内 やはり自分の技能を生かしたいという気持ちが強いから。LINEの使用価値はいくらかというテーマの東大の卒業論文が話題になっていたんです。無料で使えるアプリが実際いくらの価値を産み出しているのか、効用と実際の価格の差を分析した論文で、若者世代が余暇時間に使うのは、LINEやYouTube、ツイッターなど無料のものでした。彼らは多くのお金を必要としないから、時給1000円でレジ打ちするよりもレジ打ちは疲れるからいやだというほうが優先されるんです。

内田 なるほど。

矢内 「レジ打ちでも1000円」と身分が低いように扱われていると、別に時給1000円なんかいらない。僕もまったく出版のめども立たない状態で実験を兼ねて、ミルトン・フリードマンの未翻訳の原稿を誰か訳さない？　時給500円ぐらいで、とツイッターでつぶやいたら、10人以上の学生が応募してきました。時給500円だけ払って、結局その原稿は一部しか完成しなかったんですけど。

時給500円というのも一応、根拠があるんです。クラウドファンディングというインターネット上でお金を募れるサービスがあって、論文を訳したので翻訳費をくださいと言ったら、だいたい時給500円ぐらいは集まってくるという試算があったものですから、それだったらたとえば、訳したからお金をくださいと言えば、無限に仕事を生み出しながら論文が訳せると思って、実験的にやってみたんです。そうしたら10人以上の現役の医者や東大生が応募してきて。

なんの話をしたいかと言うと、いまはだいたい年収100万円くらいでも暮らせるようになっている。それで貧乏かと言うとそうではなくて、YouTubeやツイッターのような無料で使っても減らない娯楽が増えて、映画もHuluだったら月額およそ1000円で見放題、私はずっとドラマを見ているんだけども、そうすると外に遊びに行かなくてもいい。そうするとご飯だけでいい。ご飯だって別に半額弁当でおいしいとなってくると、そもそも大してお金を必要としない。

私は最近、仕事を頼まれたときに、提示された金額以下の報酬でやるようにしているんです。「4万円でウェブの記事を書いてほしい」という依頼が来るともらい過ぎだと思って。

4万円分宣伝しないといけなくなると思う。相手も4万円だとそれを当然、期待しているわけです。だから「3万円でよくない？」と言うと、1万円分の差で、十分に記事を読まれなくてもいいとなる。だからけっこう、依頼された価格とか、あるいは市場価格よりも安く仕事を受けたほうがいい。そうすると大切にされるんですよ。要するに、論文の仕事も、僕、時給を500円しか払っていないみたいな負い目があるものだから、「まだなの？」とか強く言えない。

内田 なるほど（笑）。

矢内 時給1000円払っていると、「時給1000円払っているのに、なんでそんなにさぼってるんだ、レジに立ってないじゃないか！」と。だから最低賃金法というのはある意味では罪深い制度だと思います。

漫画喫茶を経営している友だちが賃金を二段で構えたいと言っていたんです。時給1000円だから、ちゃんと清掃と漫画の棚の整理もしてねという仕事と、時給500円だけど、ドリンクバー飲み放題で、レジのところでずっと漫画を読んでいていい、掃除なんか何もしなくていい、ただ座っているだけでいいという仕事を募集したいと。ツイッターでそれを書いたら、かなりの応募が来た。ただ、労働基準法違反だという意見が来たり、いや、これはだから座っていていてというだけの業務委託であって、労働じゃありませんよと言ったりとか。

内田 労働じゃないから、これは賃金じゃありませんよ、と。

矢内 そう、賃金じゃありませんと。でも応募する人がかなりいるんです。私も時給1000円のバイトをしていましたが、厳しいからもうやりたくない。ほかに稼げる仕事があるからではなく、大切にされないから。1000円というのがもう十分な額なので。

内田 それ以上は必要ないと。

適正価格で仕事は受けない（矢内）

矢内 やはり無理なんです。カレー屋でも時給1000円払いますが、本当に小規模事業者にとって時給1000円は無理なんです。それに対するよくある反論は、「最低賃金を払えない企業なんて、企業として成立していないんだから潰れてしまえばいい」というもの。でも僕らは時給1000円払えないけど現に存在している。だからもうこれは労働ではありませんという方向にいくしかない。

僕はもう適正価格で仕事は受けない。むしろ無料でやります。何か頼まれて、「仕事としてはやりたくないけど、無料のサービスとしてやるんだったらいいですよ」と言うと、相手が僕の本を宣伝してくれたりする。僕もYouTubeで10万人くらいフォロワーがいるので、コラボレーションしてくださいと言われてほかのチャンネルに呼ばれたりするんです。仕事として受けると、1回30万円とかを提示されることもあるんですが、30万円で受けると、すごくサービスしなきゃいけない。ちゃんと時間通りに来て、「おはようございます」みたいな感じで。

内田 時間通りに行きなよ(笑)。

矢内 行けないんですよ、僕。仕事としてご一緒させていただきたいけれども、その価格で受けることはできない。30万円分のプレッシャーは呪いです。無料だったらいいよと言っておくと、なんだかんだで30万円分利益をもたらしてくれることはありまして。

だから労働者の福祉として、最低賃金法を基準に組み立てていくこともあり、それが守れない企業は潰れてしまえばいいというのもありつつ、500円だったら、「今日、風邪ひいたから行けません」と言っても許される。

——しんどかったりするといやですよね。

矢内 それがしんどさに耐えられるだけの金なのかという。たとえば私がラジオに呼ばれて「ノーギャラです」と言われる。「ノーギャラかい」と思って「ノーギャラだからギャラをください」と言うとクラウドファンディングで5000円集まりましたということがある。

内田　すごい。

矢内　発信元と価値を感じてくれている人を分離するという形態がけっこうはやっています。すると、その仕事主に対しては無料で働いているので、何か責任があるんですかという話ができます。

『しょぼい起業で生きていく』がけっこう売れているのも、だいたいは儲からないから。食えればいいほう、食えないことも多々あり。でもすごく楽だなあ、みたいな。

この前、「なぜサラリーマンは引退して喫茶店をやりたがるのか」というツイートが回ってきて、それがけっこう注目を集めていたんです。仕事はしていたい。社会に対して自分がなんらかの価値を生み出していたい。だけど、たとえば複数の飲食店のマネージャーになったら、たとえ一件でも食中毒を起こしたら、頭を下げに行かなくてはいけなくなる。自分の目の届く範囲だけでコーヒーを淹れて目に見えるお客さんからお金をもらうようにすると、当然、儲からないです。月30万円も厳しいだろうし、はっきり言って、最低時給を稼ぐことも相当まれだけれども、『しょぼい起業で生きていく』が売れているのもそういうところだと思います。要するに、お金はそんなに必要なくて、それより自分の能力を感謝され必要とされたい。

自分の能力を活かしたり、人から感謝されたりすることと、お金が欲しいということは、分離されるべきで、お金は場合によってはもらうことがある、結果的に価値を生み出したらもらえることがある、という感じで分離されていっているという実感があります。

第4章 教育、福祉制度を考える

本当に新しいものは文化的アーカイブから出てくる（内田）

内田　『ロッキング・オン』で高橋源一郎さんと連載対談している頃に、もう数年前かな、高橋さんと編集長の渋谷陽一君と3人でしゃべったときに、渋谷君から、米津玄師というミュージシャンがいるという話を聞いたんです。「誰それ？」と言ったら、僕たちの知っているどんな音楽とも違うんだって言うんですよ。

僕たちは音楽を経年的に聴いてきた。50年代、60年代、70年代と、それぞれの時代のヒットソングが耳から入って来て、それが記憶の中に堆積していった。だから、ある曲を聴くと、それを浴びるように聴いていた時のことがありありと思い出せる。でも、90年代半ばくらいからあとの若い人たちは音楽をラジオやテレビからじゃなくて、YouTubeで聴くようになった。個人的な趣味で選曲するので、時代も、地域も、ジャンルも関係ない。モンゴルの民謡を聴いてから、ベトナムのポップスを聴いて、ブラジルのサンバを聴き、日本の歌謡曲を聴く……というような聴き方をする。それが同時的に入ってくる。そこから影響を受けて、自分の音楽を作ると、これまで見たことも聞いたこともないような音楽が出てくる。だから、この世代の子たちが作る音楽って、系譜がわからないんです。

矢内 そうかもしれないですね。

内田 90年代までのロックやポップスは、「この曲はこの曲の影響を受けて出て来た」という系譜がはっきりわかった。でも、YouTube世代のミュージシャンには、そういう系譜がないそうです。

矢内 米津玄師はもともと、初音ミクというボーカロイドの曲をつくっていた人で、最初はもっと支離滅裂な歌を歌っていました。

内田 そうなんだ……、だから、これから出てくるミュージシャンたちは、世界中どこでも、系譜が不明になるわけでしょう。渋谷君はそれがいいと言うんだけども、僕はちょっと留保したいんだよね。やっぱり、系譜があって、伝統とか形式に縛られて、それと格闘しながら、新しいものを創造するというのがいいんじゃないかな。もちろん、まったく伝統とも流行とも関係なしに、個人的に好きな音楽をあちこちからコラージュしてきて新しい音楽を作っても、それはかまわないんだけれど、両方あっていいと思うんですよね。

でも、新しくて、かつ広々とした共感を獲得できるものは、自分自身の属する言語共同体のアーカイブからしか出てこないような気がするんです。日本人の歌って、究極的には日本語によるふだんの会話の音楽的表現なわけでしょう？　オペラがイタリア人の日常会話の音楽的表現であるように、ロックがアメリカ人の日常会話の音楽的表現であるように。だとすると、世界的に見ても際立って創造的なものって、やはり日本語のアーカイブに淵源を持つことになるじゃないかな。

実際に、新語 neologism は母語でしか作れない。何度も書いた話ですけれど、何年か前に僕が野沢温泉で露天風呂に入っているときに、あとから学生が2人入ってきて、体をお湯に沈めた瞬間、「あーっ、やっべぇ」と言ったことがありました。そのとき僕は、「『やばい』というのは、『危険なほどに快適である』『このまま嗜癖（しへき）したら人生を棒に振りそうなくらいに快適である』という新しい意味を獲得したのだな」とすぐにわかった（笑）。はじめて聞いたのに、わかった。一瞬でそのニュアンスが理解できた。

実際に国語辞典を引くと、「やばい」は「若者言葉で、『大変いい、すばらしい、気持ちがいい』という意味」と載っています。「やばい」が短期間に全国に広まり、辞書に新語として登録されたのは、誰かがこの形容詞をこれまでとは違う意味で使い始めたときに、聞いた人たちはすぐにその意味がわかったからです。

なぜはじめて聞いた新語の意味がわかるかというと、その用法が数千年にわたる母語の蓄積の中から、ぽこっと泡が湧いて出るように出てきたものだからです。言語の自然過程として出て来た。だから、まったく新しいものであるにもかかわらず、日本語話者であれば誰でもそのニュアンスが理解できた。「ただ新しい」ということと「新しいのだけれど、わかる」ということは次元の違う現象なんです。新しいだけでは一般性を獲得できない。必要なのは「新しいけれども懐かしい」という感覚なんです。はじめて会ったのに、なんだか以前から知っているような気がする人っていますよね。そういう人とは「前世でご一緒だったのかな」と思ったりするけれど、それに近い感じ。

矢内 直前の議論を踏襲するのは、すごく意味がありますよね。その直前に踏襲した人も、いままでの議論を全部踏襲しているから、結果的に歴史すべてを踏襲していることになる。最近、それはすごく思います。僕も「寅さん」はよく見るんです(笑)。

内田 「寅さん」って70年くらいから始まった映画でしょう。えらてんさんが生まれたのはいつ？

矢内 1990年です。

内田 そうか……生まれる20年前の映画だから、僕の年齢でいうと、1930年、満州事変のころの映画を見ている感じなんだよね。

――もう時代劇です。

内田 ほんとに。えらてんさんから見たら、寅さんて、僕らからしたら、大河内伝次郎とか嵐寛寿郎とか阪東妻三郎とかいう感じなんでしょうね。君が生まれたときは、渥美清はまだ生きていたのかな。

矢内　96年に亡くなったんです。阪神淡路大震災の後、神戸を寅さんが訪れたシーンがありました。

──教育の場からは古いものがどんどん消されています。私も大学に教員として入ったときに驚いたんですけれども、教養教育が重要と言うから、古典教養かと思ったら、コンピュータリテラシーや英会話なんです。それが教養だと言われて、日本の古典も含め一切削られてしまった。

内田　古典の勉強は自国文化のアーカイブの入口ですからね。そのアクセスポイントを見失ったら、文化の深層に手が届かないじゃないですか。愚かなことをするものです。自国の古典て、石油を掘るときの掘削路みたいな部分でしょ。一度、掘って穴をあけておけば、あとはいくらでも埋蔵する石油がそこから噴き出してくるけれど、最初に井戸を掘っておかないと、足下に巨大な鉱脈が埋蔵されていても使い途がない。

オンラインの学校には先輩後輩がない（矢内）

内田　いまの学校はもう破綻していますね。小学校はもう教員の確保が難しくなっている。志願者がいないんです。当然だと思いますよ。教員をあれだけいじめて、屈辱感を与えて、過大なタスクを与えて、給料を下げて。保護者はどんどんモンスターペアレンツ化して、子どもたちが教師を尊敬しないような仕組みをつくっておいてから、「教員のなり手がいない」っておたおたしていますけれど、そんなの当たり前じゃないですか。

矢内 先生には本当に同情します。

内田 ほんとに気の毒ですよね。先生も気の毒だけど、子どもたちも気の毒です。子どもたちもいずれは小学校低学年段階から学校に行きたがらなくなると思います。理想も自尊心も失って、疲れ切って、子どもたちに向き合う気力もなくなっている教師と一緒にいても少しも楽しくないですからね。たぶんえらてんさんの子どもたちが中学生くらいになったときは、「学校なんか行きたくないよ」と必ず言い出すと思います。

矢内 きっと私は、行かなくていいと言います。

内田 そうでしょうね。

矢内 うちの兄貴も小学校5年生から学校に行ってなかったんです。

内田 それでいいんです。小学校までは放し飼いでいいんです。問題は中高の6年間ですよね。日本の中等教育は悲惨なことになっていますから。

矢内 中学校はほんと嫌でした。

内田 学校へ行かない子の受け皿になるようなオルタナティブな教育機関をどんどん作ってゆかないと、子どもたちの成熟をサポートできなくなる。

矢内 YouTube がそれになっていけるでしょうか。

内田 学校の代替機関の一つにはなるでしょうけれど、YouTube だけじゃ無理ですよ。

矢内 テストがないと勉強しないという仕組みが、どうにかならないかとも思います。テストがすごく嫌なので。

内田 テストをやめればいいんですよ。成績をつけるのを止めればいいんです。

矢内 やめたいと思う一方で、ただ、実際問題として、テストがないと勉強しない。

内田 ふつうはしませんね。僕の小学校のころはそもそもテストというものがなかったので、予習復習というのはしたことがないです。教室で先生の話を聴くのは別に苦痛じゃなかったので、習ったことはだいたい身につきましたけれど、改まってのテスト勉強というのはしたことがない。それでも、初等教育は問題なく機能していたと思います。

学校の先生たちの集まりに講演に呼ばれたとき、「学校教育を立て直す方法はないですか」とよく訊かれるんですけれど、そういうときは、「一つだけあります」と答えます。「成績をつけないことです」と。成績をつけなかったら、子どもたちだって、先生だって、楽ですよ。

矢内 確かに。

内田 学習指導要領で、何年生の何学期にはこれを教えろとうるさく指定してありますけど、そんなものいくら決めたって、子どもたちの身につかなかったら無意味じゃないですか。

矢内 そうすると、最低限みんなに対して必要な教育というのは、どういうものになるんでしょうね。ドワンゴの学校「N高」とか。

内田 何ですか、それ。

矢内 オンラインで授業を受けられる通信制の高校で、放課後の課外活動がけっこう充実しています。

内田 そうなんだ。そういうのもオルタナティブの一つだと思いますよ。友だちと一緒に何かやるというチャンスが制度的に提供されているのなら、いいですね。

矢内 通信制だから3年生、2年生という先輩・後輩もないんです。

内田 通信制の学校はあちこちにありますけれど、けっこう登校してくるんですよね。そういうときに制服を着てるんです。制服なんか要らないんじゃないかと僕は思うんだけれど、女子の中にはカバン持って、かわいい制服を着て学校に通いたいという人もいるみたいです。

矢内 私の高校も私服でしたが、みんな制服っぽい服を着て来ていました。

内田 僕が勤めていた神戸女学院の中高部は私服なんですけれど、ときどき「制服が欲しい」という声が生徒から出て来るんだそうです。

——灘高と神戸女学院がそういう意味でリベラルでした。私も灘には制服がないという理由で入ったんです。

矢内 僕も制服は着られません。

——私もそう思って入ったけれど、入学して最初の記念写真に写っているのは、私だけが私服で、他の子たちは全員制服を着ていました。

内田 制服のない学校でも、「標準服」というのはありましたね。都立日比谷高校もそうでした。僕はふつうの子でしたから、1年生のときは学生服を着て通学してましたけれど、2年生以上はけっこう自由な格好をしていましたね。ただ、まるっきりの私服というのじゃなくて、学ランのカラーの隙間からチェックのシャツを覗かせたり、下にウールのタートルネックを着たり、ちょっとだけはずしていた。関西の男子校で制服がないのは灘ぐらいじゃないですか？

——それでもやはり制服を着たい人間のほうが多い。

内田 通信制で別に登校しなくてもいいのに、制服着て、登校するのって、自分は何かの集団に帰属しているということを外に示したいんでしょうね。

矢内 コーディネートを考えなくていいというのも、だいぶ大きい気もします。制服やスーツは組み合わせを考えなくていいから楽。

内田 オルタナティブの教育機関はこれからいろいろ出て来ると思いますけれど、他人と共生・協働する能力、あるいは人を見る目を養うといったことは、自室でちゃかちゃかキーボードを叩いているだけでは身に付かないですね。嘘をついている人間を見破るには、目の前で嘘をつく人間を実際に見ないとわからない。敬語の使い方とか、他人との距離の取り方とか、合意形成の仕方とか、説得の仕方とかも、現場にいないと習得できないです。

ときどき、とてつもなく邪悪な人間っているじゃないですか。邪悪な人間はやはり邪悪なオーラを出している。見た目はふつうだけれど、そばに行くと肌に粟を生じるということがある。そういう邪悪な人間や、自分の生命力を減殺する人間を感知して、そっと逃げ出す能力というようなものは、これはやはり集団の中に身を置いていないと身に着かない。危険を感知するセンサーって、たぶん子どもが身を護る上でいちばんたいせつなものなんだと思います。極端な話、他のことはどうでもいいんです。危険なものが近づいてきたら、鳥肌が立ったり、息が苦しくなったりという身体反応が自然に起きるはずなんです。そういう「アラーム」が鳴ったら、とりあえずそこから逃げ出す。そういう身体感受性を子どもには教えないといけない。でも、これは実地訓練しか方法がないです。

矢内 どうやって教えたらいいですか。

内田 えらてんさんは自分が危険に突っ込んでいくタイプだから（笑）。「アラーム」とかなっても気にしないでしょ？

矢内 私はギリギリの範囲内で、何かあったらすぐ逃げ出すつもりではいますけども。

内田 「ここから先は危ない」という見切りができるかどうかは生き延びる上で必須の能力だと思う。

――内田先生は、合気道では危険を察知するのが一番重要なことで、子どものころ「ハンカチ落とし」みたいな遊びをするのが一番の訓練になるという話をされていました。

内田 そうでした。もう十年以上前の話ですけれど、門人が合気道の少年部を始めたときに、「先生、幼稚園くらいの子どもたちに合気道教えるためには、何をやったらいいでしょうか？」って聞かれたことがあって、考えたんです。小さい子たちだから合気道の技なんか教えられない。そのとき、「ハンカチ落としをやったら？」と言ったんです。鬼がハンカチを落としても、見えないし、音も聞こえない。だけど、勘のいい子は鬼が指を離した瞬間にパッと振り返る。

――やはりわかるんですね。

内田 何でしょうね。たぶん鬼の身体が発するわずかなシグナルに感応しているんだと思います。「こいつの後ろにハンカチを落として、鬼にしてやろう」というかすかな邪念のせいで、鬼の方が微妙に呼吸が乱れたり、体温が上がったり、体臭が変化したりする。ほんとにわずかな変化だと思うんですけれど、子どもでも勘のいい子はそれに反応する。そして、その能力は遊びを通じて伸ばすことができる。だから、子どもの頃に「鬼ごっこ」や「かくれんぼ」をさせたんじゃないかと思うんです。「かくれんぼ」だって、見えなくても、「あの木の後ろに何かが隠れているような気がする」ということがわかったりする。そういうことがわかるというのは、危険な環境で暮らしていた子どもたちにとっては、生き延びる上で必須の能力だったと思いますよ。

昔は遊びを通じて、センサーを高めていく機会があった。ああいう遊びはたぶん数万年前からあったと思うんです。「なんとなく、あっちの方には行きたくない」というような感覚は非力な子どもだからこそ必要なもので、それはほんとうに小さいときから遊びを通じて育成することができる。そういう能力を鍛える機会がいまはもう全くなくなってしまった。

矢内 かなりウェブでは教えにくいところです。

——一番身近にいて逃げられない邪悪な人間が、先生や親だったりすることもあります。それが一番、怖いです。子どもが避難できるような場、アジールがつくれないといけない。

内田 それがほんとうに必要だと思います。

——ただ、いまの法律では誘拐になってしまう。

矢内 親権が強いから。

内田 学校というのは、発生的には、子どもを親の子殺しの暴力から守るために作られたんです。ヨーロッパでは、親は子どもに対する処罰権を持っていたのです。

——殺していた？

内田 ええ。それでイエズス会の人たちが、「いや、神の御前では親も子どもも同じですから殺してはなりません」ということで学校を作って、そこに子どもたちを受け入れて、親の暴力から隔離した。だから、親が子どもに対して毒性の強い権力を発揮するというのはいまに始まった話ではないんです。

明るい雰囲気の子ども食堂には行きたくない（矢内）

矢内 われわれの店系列では、子ども食堂のようなことをやっています。あまり大勢来られると経営破綻してしまうので、ほとんど宣伝していないんですけど。いまの子ども食堂は、自分が子どもだったら非常に行きづらいと思います。同級生がいっぱい来てそうな気がするんです。たとえば地元の神社でやっている子ども食堂もすごく雰囲気が明るいのですが、なんだか行きたくない。もっと陰鬱な子ども食堂をつくりたい。

内田 子ども食堂って、明るいんですか？

矢内 明るいんです。非常に栄養バランスのとれた食事を出してくれて、明るいおじさん、おばさんがいる。

――福祉でやっているとそうなってしまいます。

矢内 もちろん千差万別ですけれども。

内田 平川君の「隣町珈琲」でも、若い人たちがやりたいと言い出したので、子ども食堂をやっているそうですけれど、平川君は「なんか違う」と言ってましたね。けっこう子どもが来ているんだけれど、「ここに来られる子どもって、本当は子ども食堂を必要としていないのではないか」と。

矢内 あまり表沙汰にすることではないのですが、系列店の一つで窃盗が起きたんです。子ども食堂に来た子どもたちが、店員の財布から7000円盗ったということで、そこの店長も参ってしまった。僕が7000円渡して補塡したのですが、中田先生からは、「お金を盗らざるを得ないような子どもが7000円盗ってもいい」と。

――そういう子どもたちが来てくれるようになるのが一番いい。

矢内 難しい。それを聞いたときに、イスラムの手を切るというのは、非常に示唆的なところがあると思いました。

内田 困っている人は盗んでもいい。

――もちろんです。そうでないといけない、生きるためには。

矢内 本当に『レ・ミゼラブル』みたいな話。みんな気落ちしていたのですが、盗っていく人は盗っていったらいいというのは、いい話だと思いました。明るい子ども食堂に行って、100円払って、ああ、おいしそうとか言って、みんなで食べて、アハハと談笑しながら帰って行く子どもは、本当は子ども食堂を必要としてない。

内田 平川君も同じことを言っていました。

矢内 今度は陰湿な子ども食堂をつくります。盗めるぐらいにお金を置いておきたいという感じはしました。盗めるお金、1000円札1人1枚と。

――でも盗めるところにお金を置いておくのはいけない。盗みを犯させないようにするのも気遣いです。

矢内 バランスが難しいところです。盗まれないようにするのも大事だし、盗まれたときにどうするのかも大事です。

内田 お金を盗むのはいかんです。

――食べ物を弟たちに持って帰る、くらいのことならいいのですが。

矢内　保存の利く食べ物を。

内田　子ども食堂は本来そういう貧しい子たちのためにあるべきものですからね。

矢内　生活保護の申請を随行支援していた男性が子だくさんで、20代で、月収が多くて6万円。子どもが3人いるんです。少子高齢化が貧困から来るというのは間違いで、貧困化すると子どもが増える。その子どもたちも同じように育つので、貧困化を食い止めるのは難しい話なんです。LINEなどのスマホ決済サービスが1000円分のチケットをくれる話をしましたが、子どもたちにそういう知識を教えていくことも必要です。

　私は、そんな子たちがお金を盗まなくてもやっていけるような大人になればいいと思うのですが、無理なのかと思ったりもしています。どう思いますか。食い止められるのでしょうか。

内田　難しい問題ですね。ブレイディみかこさんが、『子どもたちの階級闘争』（みすず書房）でイギリスのアンダークラスの話を書いていますけど、イギリスの場合、戦後「ゆりかごから墓場まで」社会福祉の潤沢な予算を投入した時期があった。人道的な政策だと思うんですけれども、そのせいで親子三代にわたってずっと生活保護受給というような人たちが出現してきた。それが「アンダークラス」です。「ワーキングクラス」のさらに下になる。そういう人たちがあるエリアに集住している。すると、家族の中にも、隣人にも、定職について働いたという経験がまるでない人たちばかり……という環境で育つ子どもが出て来る。朝決まった時間に起きるとか、顔を洗って歯を磨くとか、髪の毛を梳かすとか、家を出るときは見苦しくない格好をするとか、人に会ったら挨拶をするとか……そういう基本的な生活習慣がない人ばかりに囲まれて暮らして、それが三代続くということになると、社会復帰することは絶望的に困難になる。サッチャーの時代に、「社会福祉制度で甘やかすからアンダークラスが生まれるのだ」といって福祉を打ち切りましたけれど、それでアンダークラスが心を入れ替えて働き始めたということはないんです。周りに働いた人がいないので、そもそも「働く」ということの意味がわからない人たちなんですから。福祉を打ち切ったら、子どもたちは着る服もなく、学校に行かず、餓死した。福祉打ち切りの最初の被害者は子どもなんです。

だから、社会福祉ってほんとうに難しいと思います。やり過ぎてしまうとイギリスのアンダークラスのように勤労習慣を持たない社会階層を生み出すリスクがある。でも、止めてしまうと、親の世代は生き残るが、子どもたちが死ぬ。子どもを養うという責任感さえ持たない人たちがいるということが問題なんです。

矢内 ほんとうに難しい。

社会福祉の恩恵で60年代の英国文化が花開いた（内田）

内田　でも、社会福祉制度がもたらした華々しい成功ということもあるんです。これもブレイディみかこさんの本で知ったのですけれど、45年に戦争が終わった後、チャーチルに代わって政権をとった労働党のアトリー政府は、医療の無償化をはじめ年金制度、失業保険、青少年保護などの制度を次々と整備して、「ゆりかごから墓場まで」と呼ばれる世界にも類を見ない社会福祉制度を実現させました。

そして、60年代に大きな社会的変化が起きた。ワーキングクラスの子どもたちは、それまでは中学高校を出たら、すぐに就職していたわけですけれど、親がちょっとだけ経済的に余裕が出て来たので、高校を出たあとに、専門学校や大学に行くようになった。子どもが「音楽をやりたい」と言えばギターを買ってやり、「映画を作りたい」と言えば8ミリ撮影機を買ってやり、「美術をやりたい」と言えば油絵具を買ってやれるくらいの資力をワーキングクラスの親たちが持てるようになった。わずかな変化と言えば、わずかな変化なんです。でも、その結果、ひと昔前だったら肉体労働者になっていたはずのティーンエイジャーたちが音楽をやったり、演劇をやったり、映画を撮ったり、ファッション業界に入ったりし始めた。彼らが60年代の英国に「スウィンギング・シックスティーズ」と言われる文化的なムーヴメントを起こした。ビートルズも、ローリング・ストーンズも、ツイッギーのミニスカートも、ある意味では社会福祉制度の産物なんです。彼らが英国経済にどれくらい貢献したか考えれば、英国の社会福祉は間違いなく「ペイ」したんです。

矢内 生活保護などでお金を出しても、子どもに全然行かないという現実があって、われわれも微力ながら子ども食堂をやっているわけですが、本当にそういうクラスに届いたのはいいことですね。

福祉制度を設計する上で大事なのは屈辱感を与えないこと（内田）

――イスラームの場合は、施しをして恩に着せたり、恥ずかしい思いをさせたりしないということで、盗んでくるのが一番いいんです。

内田 なるほど。

――知らないうちに食べてくれればいい。今の福祉は屈辱感を与えます。

矢内 本当に。

内田 「屈辱感を与えない」というのは、キーワードですね。「品位ある社会（decent society）」

ということを提言しているマルガリートという人がいるんですけれど、彼は「品位ある社会とは、その制度が人々に屈辱感を与えない社会である」と定義しています。公共財が成員たちに公正に分配されるだけでは十分ではない、分配するときのマナーが人間的な配慮をともなうものでなければならない、というのがこの人の主張なんですけれど、僕はこれはとてもたいせつなことを述べていると思います。

福祉制度を設計する上で一番大事なことは「分配において、屈辱感を与えないこと」なんです。完全に公正な社会を実現することは困難ですけれど、財の分配において、受け取る人に屈辱感を与えないことを最低限のルールにすることくらいはできるはずです。さきほどパターナリズムのことを話しましたけれど、パターナリズムの最大の問題は、家長が家長以外の成員たちに財を分配するときにほとんど制度的に屈辱感を与えることです。もし、「ディセントな家長」というものがいたとすれば、パターナリズムはそれほど悪いものじゃないと僕は思っています。

――エチケットも大事です。倫理や相互理解ではなく、エチケット。作法を守るということ。

内田 作法を守るというのは、たいせつですね。

――こういう対人関係はネットでは教えられない。ネットの問題は最低限のエチケットができていないということです。「死ね」と簡単に言ってはいけない。人前で言えないことを、ネットでは言ってしまうから問題になります。

内田　挨拶もそうですね。

矢内　ツイッターでブロックするような相手でも、会えば、「こんにちは」と笑顔で言いますから。

内田　そうですね。ネット上ではブロックできるけど、現実に会ったときは相手を目の前から消すことはできない。どうしたって、「こんにちは」と言ってしまう。

――そういうことが重要ですけど、なかなか学校で教えられるものでもないし、ネットで教えられるものでもないんです。

内田　本当は学校では、教師と教師が対話している現場を見せて、「大人のコミュニケーション」のマナーを子どもに学ばせるべきなんでしょうけれど、いまの教師と教師の間のコミュニケーションはとても「大人のコミュニケーション」とは呼べないようなものですからね。子どもに敬語を教えたいと思ったら、簡単なんですよ。教師が生徒に敬語を使ってしゃべれば、すぐ身につきます。

――そういうことです。

内田　教師が生徒たちに向かって「お前らは」とか言っていたら、生徒たちは敬語なんか使えるようになれないですよ。

結婚するとわかりますけれど、結婚生活を維持するために一番たいせつなことは挨拶です。「おはようございます」「いただきます」「ごちそうさまでした」「ただいま」「お帰りなさい」「おやすみなさい」。これくらい言えたら、まず問題なく結婚生活は維持できます。愛し合っているから、そんな挨拶は無用である、というようなことはないんです。別に万感をこめて言わなきゃならないというものでもないんです。とにかく起きたら「おはようございます」。

矢内 私はずっと挨拶ができなくて、最近になって、それが大切だと気付いたんです。体育教師から「お前ら、挨拶しろ」と言われると、「お前から挨拶しろよ」という感情が湧いてきてしまう。教師に対する敬意がないのがデフォルトで、その教師から、そんな命令されても、と。

――やはり教師も自分がやって見せないとダメなんです。

内田 うちの道場では稽古の前後の「お願いします」と「ありがとうございました」は僕から言うんです。教える方から先に「お願いします」「ありがとうございました」と言うような道場はたぶん他にはないと思います。ふつう先生は黙って一礼して、弟子たちが「お願いします」、「ありがとうございました」と言う。でも、僕は彼らに挨拶しているというより、道場で稽古ができるという事実そのものに対して挨拶しているつもりなんです。「どうぞこれから良い稽古をさせてください」、「おかげさまで良い稽古ができました」という僕の側からの祈願と感謝の気持ちを、場に向けて差し出している。
野球でプレイボールの前にピッチャーが帽子を脱いでホームに向かって一礼しますよね。あれは別にアンパイアに向かって「よろしく」と言っているわけじゃなくて、その場を領しているはずの「野球の神さま」に向かって、「良いボールゲームができますように」と祈願しているんだと思います。僕も稽古の場を領している「武道の神さま」に向かって挨拶をしている。

矢内 内田先生がおっしゃっていた、「師を見るな、師が見ているものを見よ」という言葉が非常に好きなんです。教えられたことよりも、その人が何をやっているのかを見て学ぶ。「こうしろよ」と教えられることは、あまり身に付かない気がします。

ひきこもりの人たちに過疎集落に移住してもらおう（内田）

内田 鳥取の智頭にタルマーリーというパン屋さんがあって、ご主人の渡邉さんご夫妻と前にお会いしたときに、智頭もだんだん人口が減っているとうかがいました。そのとき聞いて面白かった話があって、智頭の山奥のほうに15、6軒の集落があって、江戸時代からの立派なお屋敷もある。でも、住人がどんどん減って行って、ついに無人になった。住む人がいないと、建物はたちまちボロボロになりますよね。瓦が落ちて、壁が剝がれて、柱が歪んで……崩壊する。その家の持ち主は麓の町中にいるのですけれど、せっかく先祖伝来の家が廃屋になるのを見捨てるにしのびない。そこで、たまたま引っ越してきた女の人にその家に住んでもらうことにした。その人が住み込んで、家を掃除したり、窓開けて風を通したりする。昼間はバスで下に降りてバイトして、夜はまたバスで集落に戻って暮らしている。その人以外に無人の集落ですから寂しいと思うんですけれど、その人は一人でいるのが好きらしい。その人が一人住んでいるおかげで、お屋敷は崩れずにいる。

昔、神社仏閣には堂守(どうもり)とか寺男っていうのがいましたね。境内の一角に小屋を建てて、そこで寝起きして、煮炊きして、庭を掃いたり、本堂の拭き掃除をしたりする。そういう人が一人いるだけで、広大な伽藍でも崩れなかった。建物というのは人間の生命をエネルギーにして生きているんです。そんなにたいそうな量のエネルギーじゃない。ちょっとでいいんです。ただ一人でいいから、そこで寝起きして、ご飯を食べて、ときどき窓を開けて風を通して、たまに掃き掃除くらいすると、建物は生き続けられる。

その話を聞きながら、思いついたことがあるんです。いま日本にはひきこもりが100万人いるそうですね。彼らに社会復帰して、仕事をしてもらうのは難しいけど、「自宅じゃない、別の所でひきこもっていただけませんか?」というオッファーをしたらどうだろうか、と（笑）。仕事なんか、何にもしなくていいから。ただ、そこで寝起きして、煮炊きして、雨戸を開けて風を通して、ときどき掃除してくれて、それだけしてくれたらそれなりのお給料を払います、と。

矢内 すごく需要があると思います。

内田 そういう家多いんですよ。仏間があって、ふだん誰も住んでいないんだけれど、お盆になると、そこで法事をするので一家が戻ってくる。だから、完全に人には貸したくない。地方の集落には空き家がいっぱいあるんです。でも、持ち主は人に貸さない。年に一度お盆に帰省するだけのために空き家のままにしておく。そのために家はどんどん老朽化してゆく。防犯上も、防災上も、空き家が集落にたくさんあるというのは困ったことなんですよ。だから、行政にとっては大問題なんです。

でも、貸すのは嫌でも、何もしない人にただ「そこにひきこもってもらえばいい」ということになると、この問題は解決するんじゃないですか。別に仕事をしてもらうわけじゃない。『マトリックス』じゃないですけれど、あなたの「人間としてのエネルギー」をちょっとだけ家に備給してくれないか、と。いるだけでいい。いいアイデアだと思うんですよね。世の中には「人嫌い」で、過疎の集落でも全然怖くない人もいると思う。熊や鹿は出てくるかもしれないけれど、それより人間の方が怖い、という人だっているんじゃないですか。
「家の崩落を防ぐために、いてくれるだけでいい」という家主さんと「家にこもっているだけで何もしたくない」という店子さんをマッチングできたら、過疎集落の問題って、ちょっと解決できるんじゃないですか。もしかすると、住宅問題もひきこもり問題もお墓の管理も家の仏間を潰さずに保つことも、防犯防災の問題も、「ただひきこもってもらうだけの仕事」をすごく安い給料でお願いできるということになったら、解決するんじゃないかな。

矢内 ひきこもりの人たちは、支援されることに関してはいろいろな感情があって拒否するけれども、頼まれごとに関してはわりと積極的に応えます。

内田 さきほど、何にもしなくていいから漫画読むだけで時給500円という話がありましたよね。時給500円だけど、他に何も仕事しなくていい、ただそこにいてくれればいいという仕事って、探せばけっこうあると思うんです。

矢内 そういう需要はすごくあります。

内田 例えば、空き家10軒くらいが毎月1万円ずつお金出し合って、週替わりで家を泊まり歩いてもらうということにしたらどうです。寝泊まりして、そこでご飯食べて、掃除してという仕事で月10万円。どうかな。これ新しいビジネスになりませんか？ えらてんさん、ひとつやってみません？

矢内　いいですね。お任せいただけるのであれば。

内田　ひきこもりの方を家とは別のところにひきこもっていただくことでビジネスにする。

矢内　シェアハウスをやりたいという需要はいっぱいあるんです。やる気のある若者が田舎の家を買ってシェアハウスを始めるという動きもけっこうあります。

内田　100万人のひきこもりを横移動させることができれば。

矢内　そういう取引ができるかなあ。いろいろなひきこもりも相手にしてきましたけど。

内田　ネットはだいたいみんな使っていると思うんでね。

矢内　ネットでも、まともな会話ができないことがあります。だけど、できるタイプのひきこもりも大勢いるでしょう。

内田　それだけで過疎の村は相当救われますよ。

限界集落で暮らす山奥ニート（矢内）

矢内　山奥ニートってご存じですか。

内田　なんですか？

矢内 最寄りの国道まで車で20分という和歌山県の限界集落に住んで、ゲームをして暮らしているニートの集団があるんです。労働力としてはほとんど当てにされてないと思いますけど、ときたま集落のおじいさんの農業を手伝って、果物をもらったりしています。基本的にはインターネット配信で外貨を稼いでいる。

内田 外貨を稼ぐ（笑）。果物をもらうのは地域通貨ですね。

矢内 大雨になると外に出られなくて、ネット回線が切れたりもするんですが。葉梨はじめさんという方がやっています。

内田 それいいですね。都市生活にうまく適応できない人たちが、限界集落に移っていく。農業をやらなくても、そこで何かできることがあれば、それでいいじゃないですか。

矢内 若い人がいると安心だとおっしゃる方もいます。でも思ったより山奥ニートに続く動きが広まってないんです。私は昔から山奥ニートにすごく注目しているのですが。

内田 アナウンスされてないからでしょうね。聞いた瞬間に「あ、その手があったか！」というものじゃないと、うまくいかないんです。まだ続かないというところを見ると、まだあまり知られてないんじゃないですか。

矢内 山奥ニートは、私が一時期すごく面白がってトークショーに呼んだのですが、本人が全然社交的じゃない。当たり前ですけど（笑）。しゃべることを期待して呼んだ私が間違っていました。

内田　人はパンのみにて生くるにあらずで、現世的な価値だけの中で暮らしていると酸欠になってしまうという人、けっこういるんです。本当に息苦しくなってくる。そういう人たちが超越的なものとの接触を求めて、都市を離れるというのは、ごく自然なことだと思います。

都市にも宗教的なものはいろいろあるのですが、過剰にファナティックだったり、妙にビジネスライクだったりして、超越的なもの、外部的なものとのつながりを求める人のニーズに合わないんですよね。だから、僕はピュアな形の宗教は、これから必ず復活すると思いますね。その時には、修験道のような神仏分離令以前の前近代的な宗教がまず甦ってくるんじゃないかと思います。

明治維新からの150年間というのは、日本における宗教って、伝統宗教も、新興宗教も、本質的な活力を失い続けた期間じゃないかという気がするんです。日本人を霊的に賦活する力って、明治維新のときに宗教の国家統制が行われたせいで、枯渇させられたような気がする。だから、もう一度、慶応四年の神仏分離令の前に戻って、修験道や梓巫女や虚無僧や勧進聖や狐下ろしがふつうに街道を往来していた時代の宗教的感受性まで立ち戻る必要があるんじゃないか、と。

僕は一九会という禊祓いの会に入っていて、ときどき祓いに行っています。かなり激しい修行をするところなんですけれど、外国人が多いんですよ。特に多いのがロシアと東欧。ギリシャやアメリカからも来ますけれど、どうしてブルガリア人が日本に来て、祝詞を唱える行なんかしているんだろうと不思議に思います。

旧ソ連圏では宗教が否定されましたから、ソ連崩壊のあとに、たぶんそれまで抑圧されていた宗教的な感性が甦ってきたんでしょう。でも、それがそのままロシア正教に戻るかというと、そうでもなくて、もっとプリミティヴな、生々しい身体性を伴った宗教に惹きつけられている人たちも出てきた。凱風館からもかなり参加しているんですけれど、女子が多いんですよ。大の男でさえ怖がって行かない荒行なのに、小柄な女子たちがどんどん行って、行を成就している。

お金が欲しい、名声が欲しいというのは、もしかすると男性固有の「病」なんじゃないかと思うんです。現世の価値というのは、どれも幻想ですよね。でも、男たちはこの幻想にリアリティーを感じている。その点では女性の方がずっとたしかな身体実感や生活実感を持っている。その若い女性たちが21世紀になって、山伏修行をしたり、禊祓いをしたり、滝行をしたりしている。どれも前近代的な宗教的活動です。明治維新で途絶えたはずのものがここに来て蘇生してきた。若くて、感受性の鋭い人たちが吸い寄せられるようにそこに集まってきている。

もちろん、そういうのは、ごくごく一部の人たちに過ぎないわけですけれども、きわだって感受性の鋭い、エッジのきいた人たちが集まってきていることはたしかです。おそらくこの人たちが次の時代のブレイクスルーをもたらすんじゃないかという予感がしています。

——実際、宗教に女性が多いというのはたしかです。日本の宗教史を見ても、だいたい新興宗教を支えるのは女性です。そもそも開祖も女性が多い。それを男性が運営しています。

内田 天理教も大本教もそうでしたね。これからの宗教のルネサンスにもきっと女性が大きく関与してくるんでしょう。

似た徴候は別の分野でも出てきているんです。科学技術がどれほど進化しても、職業的メンタリティーがあまり変わらない産業セクターがあるんです。それが医療と教育と宗教です。そのどれについても、女性の進出が目立っている。

僕が理事を務めている医療系の大学では、長い間医学部の女子学生数は全体の3割だったんです。ずっと男女比が7対3だった。でも、今年は女子入学者が倍増して、男女比が逆転して、女子6対男子4になった。もともと女子が多かった歯学部、薬学部、保健医療学部を加えると、女子が7割近くになった。ほとんど女子大です。

他の医療系の学校でも同じようなことが起きているんじゃないかと思います。たぶん、薬剤師も、歯科医も、看護師も含めて、医療分野はこれから女子がメインになってゆくでしょう。

教育分野では、先ほど教員のなり手がいないという話が出ましたが、結果的に女性教員比率が高まるような気がします。男性はもう教員という職業をあまりに報われないからという理由で選ばなくなるかもしれませんが、女性は教員になりたい人がまだいる。保育士も、いまは待遇が悪すぎて人が集まりませんけれど、有資格者は圧倒的に女性です。欧米では、小学校教員は8割以上が女性です。

日本ではこれから、女性が医療、教育、宗教分野で増えてゆく。僕はそう予測しています。女性が先導するムーヴメントの場合は、過剰にイデオロギー的になることはない。綱領を掲げるとか、理論的指導者が出て来るということにはならない。直観に導かれて、女の人たちが医療、教育、宗教というじいわば太古的な職業に集まってきている。近代社会が排除してきたメンタリティーや作法を女性たちが再生させようとしているんじゃないかな。ぼんやりとですが、そんな気がしていますね。

——もともと看護師はほとんど女性でした。教育の場合、小学校はともかく、中学・高校になると女性が思春期の男子生徒を制御できるかというのは気になります。

何も役に立たない、ただ力が強いだけの男はどうすればいいのか（矢内）

矢内 先ほどもお話しした『カイジ』で有名な福本伸行先生の『最強伝説黒沢』（小学館）という漫画があります。独身の44歳の現場作業員の黒沢が、自分はただ年を取っただけだと気づいて「人望が欲しい」と叫ぶ。彼の悲哀を描いた作品ですが、すごく好きなんです。彼はオヤジ狩りに遭って、中学生に殴られまくって、さらに謝れと言われて、自分の心の声も「命のほうが大事だろ、謝っちゃえよと、謝れ、謝れ」と言うのですが、下げた頭が途中で止まる。謝らないことで、自分は何か命より大事なものを守ろうとしているんじゃないかと自問自答します。

最後は、黒沢はホームレスを率いて、ホームレス狩りをする暴走族と闘うんです。動けないおばあちゃんのホームレスを守るために頑張るんだ、とホームレス軍を鼓舞する描写もあって、すごくよかった。黒沢は、矜持と言っていますが、「男だろ、お前ら」と。何もできない人のために強いところを見せろと鼓舞するところが、すごく好きで。

昔は何とも思わなかったのですが、いわば何も役に立たない、ただ力が強いだけの男はどうすればいいのか。内田先生も共同体の維持に男はあまり役立たないとおっしゃるのが面白いと思ったんです。同じ人数を再生産するのに、男は一人でいい。女性は非常に大切だけど、男はそんなにたくさんいらない。さらに言えば、生殖能力が失われた男なんて必要ない。そういう女性中心の世の中になっていくとしたら……。

内田 男がどうやって生きたらいいのかというのは、太古以来の難問なんです。

矢内 やはり重い物を持つしかないのか(笑)。あとは「俺に任せろ」「俺がなんとかする」といったことなのか。

――もう時代としてはそろそろ、男女の性差も否定するほうに進んでいます。

矢内 個人的には、完全にジェンダー的に平等というのは難しいと思っています。そもそも違う。

――性差というより、むしろ力があるものが責任を負うという話でもあります。

矢内 力がある女性もいるし、役に立たない男が大半ということも。僕の妻は自転車を駐輪するとき、自転車を高く持ち上げることができないので、毎回、私がよいしょと上げている。単純に、そういうときに自分の存在価値を感じます(笑)。

内田 夫婦それぞれが何でもできて、相手の助力を特に必要としていないけれど、愛情と共感があるので一緒にいるという話には無理があります。せっかく2人でいるなら、分業したほうがいい。僕はこれはできないが、あなたはこれができる。僕はこれができるけれど、あなたはこれができない。そういうふうに得手不得手がずれているほうがいいと思います。「割れ鍋に綴じ蓋」とはよく言ったものです。社会的能力や家事能力はパートナーとの間でずれていればいいと思う。「あなたがいないと生きられない（I cannot live without you）」というのが夫婦のかんどころだと思うんです。あなたがいないとうまく生活できないという相互依存のかたちを作為的にでも作っておく。そのためには自分でもできるけれど、相手のほうが得意そうなら、そちらに委ねる。相手もできるけれど、自分のほうがちょっと得意ということは、こちらの専管事項にする。そうやって、工夫しながら共同体を作ってゆくものだと思いますよ。「君なんかいなくても、別にオレは困らないけど」というのじゃダメなんです。できるだけ全員が、相互に「君がいないと困るんだよ」というかたちでつながるように、意識的に制度設計したほうがいいと思うんです。

僕の主宰する凱風館はかなり大きい組織ですけど、「とにかく内田には任せておけない」というのが、全員の共通了解なんです。「あの人、ほっといたら頼んだこと忘れるし、約束したこともやらないし」。

矢内 ひきこもりの話とも通じるところがあります。つまり、あなたは社会に必要ないけど、生かしておいてあげるというタイプの福祉は、けっこう厳しいものがあります。時給500円の話でも、ミルトン・フリードマンの翻訳をしたいので力を貸してくれというと集まる。

すごく安い金額だけど、それより自分の能力を必要とされること自体が非常に重要です。でも僕が勝手に穴を掘って、埋めるのが必要だから、と呼びかけるのは厳しい。実際に必要なときに助けてほしいと呼びかけることが大切なので。本当にただ、駐輪場で妻のために自転車をウッと持ち上げるようなことをやっていきたいと思う次第です。

それも人を雇って自転車を持ち上げてもらうのもおかしな話だから、私も近所で子どもを大勢育てていく手助けをする感じになっています。江古田のほうに住んでいる「しょぼい喫茶店」の夫妻にも今度子どもが生まれるんです。人を雇うほどの話でもないけど、人手があると助かるという隙間みたいなものが今後、たくさんできていきます。それに気づいていける人間でありたい。そういうことがあるんだよ、と伝えていける人間でありたいという感じがしております。

ユーチューバーも有名になると政治的発言をしなくなる（矢内）

――えらてんさんは、YouTubeで、不特定多数でたくさんの人に発信していく方向と、ご近所の対人関係でやっていくのとはどういうふうにバランスをとっているんですか。

矢内 両方必要で、YouTubeという多人数に対して発信するチャンネルは持っていようと思っています。飽きてきている部分もありつつですが。

いま、非常に有名人化しているユーチューバーはほぼテレビタレントと同じで、政治的意見を発せられない。

内田 そうなの？

矢内 もう発しないです。

内田 せっかくそんなにビューワーがいるのに。

――結局、大勢の人を相手にしようと思うと、どんどん言うことが狭まっていく。

矢内 そう、一般化していく。僕自身にもそれを感じることがありますが、それでも、ある種の人を敵に回してでも言わなくてはいけないことが出てきたときに、大勢の人に呼びかけられるチャンネルは持っておかないといけないと思っています。ですから、その両輪でやっていきたいですね。YouTube は新聞などとはまったく別のチャンネルで、多くの人間に対して情報を届けられますので。僕は一番多い動画が６００万回くらい見られていて、それはやはりすごいことで、最近、街中で声をかけられるんです。家族でガストでご飯食べてたら、隣の人がちらちら見ていて、「えらてんさんですか」と声をかけられました。

――朝日新聞にも出ていましたね。令和時代を代表する若者として。

矢内 あまり特別なオンリーワンにならなくていい時代になると言いました。平成はある特殊な能力や特別な資質を求めてきた時代でした。要するにオンリーワンになるために、たとえば外国語をやろうとか、何々の専門家になろうと。そういうスキルを身に付けなくては生き延びられないと言われました。でもこれからは、それこそ自転車をちょっと持ち上げるような、家庭内において僕しかできない、そういった形で社会的な存在価値を持っていく時代だろうと言ったんです。

――SMAPの「世界に一つだけの花」が流行りましたが、「本当にあなたにしかできないことがあるはずだ」というオンリーワンは幻想。

矢内 本当はオンリーワンではないということですね。「僕が死のうが世界は回る」ではないですが、世の中の歯車になることをもっと肯定的に捉えていきたい。

――身体性の話でいうと、みんなオンリーワンなんです。

矢内 学校は、個々の体調はとりあえず無視して、みんな早起きして同じ時間に登校して、一斉に同じ教科をやらせますが、それで多くの人間の身体性を損なっているんです。だけどそれよりも工業生産に適した人間をつくるほうが優先されてきました。だからオンリーワンではない。

　地球上の座標で、ここを占めているのは僕で、僕がしゃべることは僕しかしゃべれないことだといっても、それが世の中にとって価値を持つかというと、そうでもない。社会の中で占める役割とかによって特別になるわけではないんです。

――最終的に理解できないことを知った上で人間が集まっているのが社会であるという。そういうものの集合の中に自分もいると考えないと。

内田 「ワン」というのが僕はなんだか納得がゆかないですね。キーワードは「複雑」ですから。えらてんさんだって、1分前と今ではもう別の人間になっている。新しい経験を一つするたびに、言葉を一つ聞くたびに、過去の記憶はそのつど全部再編されている。僕たちは過去をたえず再編集しながら生きている。だから、自分の人格特性だって、どんどん変わっているし、どんどん複雑になっているはずなんです。

僕は「オンリーワン」とか「アイデンティティー」とか「自分らしさ」というような言葉が嫌いなんです。いいじゃないですか。自分がいつも自分らしくなくても。だって、人間って複雑なんですから。僕の中には男性の要素もあるし、女性の要素もある。幼児性もあるし、老人性もある。誇り高いところもあるし、卑屈なところもある。気前のよいところもあるし、ケチくさいところもある。そういうもの全部含めての僕なわけです。そういう星雲的な、不定形なものとしてぐじゃぐじゃと存在しているわけですよ。

その時々の場において、とりあえず自分のできる最適なことをしようとすると、どういう人格が出てくるかはケースバイケースで変わる。誰が相手でも同じことを言うわけじゃない。相手が変われば、言うことはまるで変わる。まるで反対のことを言うことだってあります。そういうものだと思います。だから、「ほんとうのお前は何ものだ」と訊かれたって、答えようがない。

人間は「オンリーワン」じゃないですよ。そもそも「ワン」じゃないんだから。「自分探し」とか虚しいことはもうやめましょうよ。そんな固定的なものは存在しないんだから。そんな虚しいものに囚われて、思考や行動の自由を自分で制約してどうするんですか。それよりは星雲状の、アモルファスな存在でいて、あちこちにいっぱい穴が開いていて、そこからいろいろなものが出入りしている、そういう複雑なシステムとして自分をとらえてみたらどうです。

成熟するとはあらゆる年代の自分をあわせ持つこと（内田）

内田 学校教育は戦後のある時点から「工業製品を作る」という産業形態に準じて、制度設計されるようになりました。それは適切に管理された工程をたどって、仕様書どおりの「製品」ができてゆくプロセスを教育についても理想とする考え方です。だから、少しでも仕様と違うと欠陥品としてはじき出される。工程管理を妨害する「バグ」は周到に排除された。

でも、そういうメタファーで教育が語られるようになったのは、単に「工場で工業製品を製造する」ということが産業の一般的なかたちになったからなんです。支配的な産業が農業から工業に遷移したので、それに合わせて、教育も「そういうものであらなければならない」と思い込んだというだけのことなんです。

その前の時代、僕が初等中等教育を受けているころは、学校教育は農業のメタファーで語られていました。種子を蒔き、肥料や水をやって、あとは太陽と土壌に任せておくと、収穫期になると「何か」が採れる。本質的に農産物は自然の恵みであって、人間が100パーセント工程管理することなんかできない。実際に教師も親もそう考えていた。でも、それは単に1950年代までは、日本人の50パーセントが農業従事者だったから、自分たちがふだんやっている産業形態のイメージをそのまま学校教育に当てはめたというだけのことなんです。そういうものなんです。

学校教育に僕たちが当てはめるイメージというのは、その少し前の時代に支配的だった産業構造を惰性的に模写したものに過ぎないんです。「工場での工業製品を製造する」というのは第二次産業が支配的な業態だった前期産業社会に固有のメタファーです。「教育の質管理」とか「PDCAサイクルを回す」とか「シラバスによる工程管理」とか、そういうのは全部「工場でものを作る」ための作業なんです。実際にはもうそんな時代はとっくに終わっているのに、人々はまだそんな時代遅れのメタファーを使って、学校教育を論じている。政治家も、教育官僚も、ジャーナリストもその点では同類です。

子どもたちを仕様書通りに育てなければいけない、工程の品質管理でひっかかって欠陥品としてはじかれるようなことがあってはいけないというふうにみんな怖がってますけれど、その恐怖そのものが前期産業社会の製造工程を人間に適用しているから起きることなんです。どうして子どもを誰かが書いた仕様書通りに育てなくちゃいけないんですか。子どもたちはみんな違っているし、みんな複雑なんですから、複雑なまま育てればいいじゃないですか。「私はこれこれこういう人間ですと自己規定して、それを言葉にしてずっと、維持してゆく」というアイデンティティー圧力というのは、工業製品に固有のものなんです。缶詰や乾電池だったら、規格化しないと使えない。だから、つよい同質化圧が学校教育で働く。すべての製品は初期設定から逸脱することを禁じられている。一度仕様書に組成や性能や使途を定められた製品は、途中で仕様を変更することが許されない。いまの日本社会では、その「仕様変更の禁止」のことを「アイデンティティー」と呼んでいるんです。そんなものを後生大事に抱えてどうしようっていうんですか。

どんどん変わっていいんです。いくら変わっても、変わらないものがある。どんなに次々と違うことをしていても、何か「指紋のようなもの」は残る。必ず残る。それは自分で構築するものじゃないし、探しに行くものでもない。自分にはどうしようもない、唯一無二性の徴なんです。探し出すものでも、自作するものでもないし、抑圧しようとして抑圧できるものでもない。

もし、現代において支配的な産業構造のメタファーを適用するとしたら、「離散的なネットワークの中で、さまざまなアクターが自由に出会うことでそのつど一回的に価値物が創造される」というイメージになるはずなんです。実際にそうなんですから。だから、教育も遠からず、工業製品ではなく、機能とか情報とか生命力とか、そういう「かたちのないもの」を原イメージとして組織化されるようになります。これまでもそうだったんだから、これからもそうなるに決まっている。そういう時代に前時代的なイメージを押し付けているから、学校教育が機能不全に陥るのは当然なんです。

だとしたら、これからの教育は学校で斉一的に教育されるのではなく、むしろ自己教育というものになると思います。自分のための教育環境そのものを自分で手作りして、自己教育する。そういうかたちのものになると思います。必ず、なる。

その場合の自己教育の目標は一言で言えば、複雑化ということです。教育環境を選ぶ場合に、子どもたちは「自分がそのプロセスを経由することで、どれだけ複雑になれるか」、それを問う。生物の進化というのは複雑化ということですから。単細胞が分裂して、二つになり、四つになり、複雑な機能を備えた生物になる。個人の成熟もそれと同じことだと僕は思います。成熟というのは複雑化ということなんです。どんどん「わけのわからないもの」「一筋縄ではゆかないもの」になってゆくことが成熟なんです。

僕自身だんだん加齢してきてわかったのは、年をとると人間はだんだん複雑になるということでした。だって、僕の中には、幼児期の自分もいるし、少年期の自分もいるし、中年の自分もいるし、定年を迎えた60歳の自分もいるし、古希を迎えてどうやって死のうか考えている自分もいる。その全員が僕の中にいる。その一人一人が間違いなく僕自身なわけです。だから、複雑なキャラクターにならざるを得ない。成熟するとはそういうことだと思います。

いまのこの社会の犯している最大の誤謬は「単純であるのはいいことだ」という信憑です。どんな場合でも、同じように考え、同じようなことを言い、同じようにふるまう首尾一貫したアイデンティティーを持った人間でなければならないという強い自己同一化圧がかけられている。就活では「自己アピール」しろというようなことを言われるらしいけれど、僕はそういうことを聞くと寒気がしてくるんです。どうして「自分はこれこれこういう人間です」なんてことを言わせるんです。そんな自己規定は、口に出した瞬間に「呪い」として機能して、自己を呪縛することにしかならないんですから。若い人にそんなことを言わせちゃいけない。「あなたは一言で言ってどういう人間ですか？」なんて愚かしい質問はしないで欲しい。「あなたの長所はどこですか？」なんて、知るかよ、バカ野郎です。

矢内 その場に出てくることもあれば、出てこないこともある。

内田 そんなの、あなたが決めればいいじゃないか、ということです。僕が何ものであるかは、そのつどの関係でしか決まらないことなんだから、あなたが「内田というのはこういう人間だ」と思い込んだら、あなたにとってはそういう人間なんだから、それでいいじゃないですか。でも、僕はあなたが思っているような人間じゃないというだけのことです。

そういう生命の自然から反することをさせないで欲しいんです。社会制度が人間に複雑化すること、成熟することを禁止している。これはほんとうに罪深いことだと思います。そういう圧力に対しては僕は断固としてノーと言いたい。自由に、複雑にさせておいてくれよ、ということです。「話を簡単にしろ」と言われたら「いやだ」と言う。「要するに」と言われた「要するな！」と。

矢内 いいですね。「要するのはやめましょう」はすごく賛成です。

内田 「要するに何が言いたいわけですか」と言われると、本当に絞め殺したくなりますよ。

第5章 先祖と宗教とユーチューバー

私たちは先祖を恣意的に選んでいる（内田）

――時間には過去から現在への流れと、それから未来に伝えていくという、二つの側面があると思います。ここからは、歴史的なものを考えていくことにしたいと思います。内田先生のご本の中には、もともとご先祖が庄内藩とか会津藩の武士だったというお話がありますし、矢内さんは和歌山のほうにルーツがある。そういう自分のルーツから、これからどう未来に伝えていくのかという話をしていきたいと思います。

内田 先祖のことって、ほとんど作り話に近いと思うんです。だって、四代前の祖先というと16人いるわけですけれど、その中の一人を僕の先祖だと指名して、あとの15人のことは忘れているんですから。いくらなんでもひどい話です。僕の個性と親和性の高そうな人を選んで、「私はこの人の子孫だ」と言っているのですから経歴詐称みたいなものですよ。

でも、まことに不思議なもので、そういう血統のことを話すと、確かに16分の1は入っているわけですから、その16分の1の血が騒ぐわけです。「なんで武道をやっているんですか」と聞かれたら、「血筋ですから」と答えることになる。内田家はもともと武蔵嵐山の農家だったんですけども、四代前の、内田柳松という人が剣客を志して家を飛び出して、神田お玉が池にある千葉周作の玄武館に入門して、そこで剣の腕を磨いて、清河八郎と山岡鐵舟が徴募した浪士隊に加わって京都に行った。そこで新選組の諸君と別れて江戸に戻ってきて、庄内藩預かりの新徴組の隊士になった。そして彰義隊の戦いのときに庄内藩主に随行して鶴岡に行って、そこで藩士に取り上げられた。その物語を内田家では代々語り伝えてきたわけです。三代前の内田維孝さんは会津藩士の子どもで、孤児になったのを柳松さんに引き取られて、婿入りして内田姓を継いだ。

内田家は四代前が庄内藩、三代前が会津藩という、戊辰戦争負け組直系なんです。だから、内田家はすごく暗かった。子どもの頃はその暗さの意味がわからなくて、どこの家もおなじ感じだろうと思っていたけども、違うんです。東北固有の暗さなんです。奥羽越列藩同盟の暗さなんです。伯父たちは「東北の人間はどんなに努力しても、いまの日本では上に行けない」とよく言っていました。

矢内　なるほど（笑）。

内田　原敬は戊辰戦争の敗軍側から出てきた最初の総理大臣です。原敬が「平民宰相」と呼ばれたのは爵位を拒否したからです。「薩長藩閥政府が授ける爵位なんて要らない」と言って。

原敬の号は「一山」というのですけれど、それは「白河以北一山百文」、白河から北は一山百文ほどの価値もないと明治政府が東北を侮って言った言葉から採ったのです。賊軍から最初に陸軍大将になった柴五郎も会津藩出身です。終戦後に割腹自殺するんですけども、柴五郎も晩年になってもまだ「薩長許し難し」と書いていた。

戊辰戦争はアメリカの南北戦争と同じで「シビルウォー」なんです。そして、アメリカでも日本でも、内戦の後に敗軍の人々を適切に供養できていない。正しく慰霊していない。だから、その怨念がいまだに残っている。

安倍晋三は長州人です。総理大臣だった岸信介が祖父、佐藤栄作が大叔父で、外務大臣の安倍晋太郎が父、自身も総理大臣という家系です。でも、あの人は国民から愛されているという実感を持ったことがない。麻生太郎もそうです。たぶん安倍も麻生もその好感度の低さを政治的に解釈して、左翼リベラルや日教組というような特定のクラスターから嫌われていると考えているでしょうけれども、一番深く長州人の政権を嫌っているのはおそらく旧奥羽越列藩同盟です。実際、東北ではもう選挙で自民党はほとんど勝てなくなった。でも、その理由を誰もきちんと分析していない。それが戊辰戦争の賊軍に対する薩長藩閥政府の冷酷な仕打ちに対するルサンチマンというような説明をする人は誰もいません。

自民党の政治家たちはそろって靖国神社に参拝しますけれど、靖国は戊辰戦争の勝者だけを鎮魂して、敗者を祀っていない。みな近代日本のために横死した死者たちではないですか。あわせて供養するのがことの筋目でしょう。でも、死者たちの間に党派的な差別を持ち込んだ。だから、戊辰戦争から150年経っても、日本は内戦の傷跡が癒えていない。僕自身の現政権に対する批判のうちの四割ぐらいは東北人としてのルサンチマンに由来するものなんです。

「一山百文」は誇張にしても、国が明治以来一貫して東北への投資を惜しんできたのは事実です。東海道新幹線が開通したのが東京オリンピックの1964年、東北新幹線が青森まで開通したのは2010年、60年近くの差がある。福島の原発事故の処理にしても、東日本大震災被災地の復興にしても、政府は本気で取り組んでいるようにはとても見えない。下北半島の六ヶ所村に核廃棄物処理センターがありますけど、ここはかつて斗南(となみ)藩と呼ばれた土地です。会津藩が戊辰戦争のあとに改易されて、追いやられた不毛の荒野です。会津藩を処罰的に送り込んだ土地にいまは原子力施設がある。これが偶然のはずがない。

150年前から敗者が割りを食っている（内田）

内田 原発は鹿児島にもあります。薩摩は戊辰戦争では勝者でしたけれど、西南戦争では敗者になった。みんな自覚していないのですが、日本は精神的にも、政治的にも、経済的にも、明治維新のときにきびしい分断線が引かれていて、それから150年間、その分断は架橋されていないんです。でも、それを政治家たちは決して認めない。賊軍差別なんてものはないという話になっている。だから、傷が癒えない。自国の歴史の忌まわしいところ、恥ずべき汚点をぐるぐる梱包して押し入れに隠しているんです。でも、そこから腐臭が発してくる。押し入れから出して、梱包を解いて、風にさらして日に当てておけば、いずれ毒は消えるんです。

これは指摘する人がほとんどいませんけれど、さきの戦争の戦争指導部はほぼ賊軍の出身者たちで占められていたんです。東條英機と板垣征四郎は盛岡、石原莞爾は庄内、林銑十郎は加賀、相澤三郎は仙台……、東京裁判のA級戦犯28人の中に長州人はシビリアンの松岡洋右しかいないんです。長州は明治維新以来陸軍を完全に牛耳っていたはずなのに、戦争指導部からは排除されていたんです。それは、1929年に田中義一が急逝して、山県有朋以来の陸軍長州閥が消滅した後に、すさまじい勢いで旧賊軍旧幕臣の子弟たちが陸軍に雪崩れ込んできたからです。彼らはそれからわずか15年で60年かけて薩長藩閥政府が作り上げた「明治レジーム」を土台から破壊した。この信じられないほど自滅的なふるまいを「賊軍の明治政府に対するルサンチマン」抜きに説明することは僕は難しいと思います。

でも、日本の歴史家はそういう心理的な要因が歴史を動かしているという可能性をほとんど考慮しませんね。でも、いまの日本の制度の全面的な劣化が、敗戦の総括を徹底的にやっていないことに由来するということには、おおかたの人は同意するはずです。なぜあのような無謀な戦争を企てたのか。なぜあのような非道なふるまいを自分たちに許したのか。そこには一種の集団的な精神の病が関与していると僕は思っています。自分自身の中に潜む「東北人のルサンチマン」を観察するだけで、それくらいのことはわかる。でも、日本人はどうしてあんな戦争を始めたのか、どうしてあんな敗け方をしたのかについての深い自己分析をできていない。だから、南京虐殺はなかった、慰安婦はいなかったというような歴史修正主義者が登場してくる。彼らの存在そのものが敗戦経験の適切な総括を怠ったことから発する「腐臭」なんです。

——われわれの世代はマルクスを知っていますし、無意識を意識化することで救済しようという発想はあったのですが、いまはそういう発想自体がなくなったみたいです。

内田 無意識や抑圧とかいう言葉は、若い人たちの語彙にはもうないんじゃないでしょうか。聞いたことがないんです。

——確かに実際、抑圧が減っているということはあると思うんですけど。

内田 いや、抑圧って、そんな御しやすいものじゃないです。見たくないものから目をそらしていて、目をそらしているという事実そのものを意識化できないというのが抑圧の構造ですから。

――慰安婦の問題、韓国との問題、全部そういう問題につながってくると思うんです。それはヨーロッパでもあることです。

内田 どこの国でも、自国の恥ずべき過去は抑圧されています。ドイツでもフランスでも。比較的抑圧が少ないように見えるのがイタリアです。イタリアは枢軸国ですけれど、1943年に連合国に降伏して、それからドイツと日本に宣戦布告して連合国側で戦っている。ただ、連合軍のシチリア上陸から、アルプスでドイツ軍が降伏するまで国内でずっと戦闘が続いて、ローマ以外、全土が焦土と化していた。

僕らは三国同盟の日独伊はみんな一緒に負けたと思っていますけれど、負け方はそれぞれ違うんです。ドイツの場合は、講和条件を協議できる中央政府そのものが消滅したので無条件降伏でした。日本はポツダム宣言を受信してからもソ連の仲介による講和の可能性を探って、最後にそのソ連が対日参戦したために、無条件降伏するしかなくなった。それに比べると、イタリアはとにかく連合軍といろいろと講和条件を協議できる程度の中央政府のガバナンスがありました。残念ながら、国王ヴィットリオ・エマヌエーレ3世とムッソリーニ失脚後首相になったピエトロ・バドリオがいずれも統治能力がなく、イタリアの裏切りを疑ってドイツが進軍してくると、ローマ市民を置き去りにして南イタリアに逃げだしてしまった。そのせいもあって、戦後の国民投票でイタリア国民は54パーセント対46パーセントの差で王政を廃止することになりました。

第二次大戦中のイタリアって、右往左往して、ほんとに見苦しいんですけれど、その恥ずかしい歴史的事実がすべて開示されている。隠しごとがないんです。自国の黒歴史について「歴史修正主義者」がしゃしゃり出てきて歴史的事実を改竄する余地がない。前にイタリアの合気道家に、「イタリアは日本が敗戦する前の月に対日宣戦布告しましたよね」と言ったら、苦笑いして「そうです」と言ってました。第二次世界大戦の開戦直後も、フランスに侵入して、フランスの土地をちょっと頂いたりしたんですという話も教えてくれて「イタリア人て、そういうことをするんです」と笑っていた。それをあっけらかんと話すのが面白かった。それで、「イタリア人はどうして自国の恥ずべき過去についてそんなにおおらかなんですか」と訊いたら、ちょっと考えてから「うちは昔、世界を支配したことがあるからじゃないかな」って(笑)。なるほどと思いました。ローマ帝国が世界を支配したことは世界中の人が知っている。だから、歴史を捏造して自国を美化する必要なんかない。だから、ドイツも日本も、あるいはフランスも、微妙に自国の黒歴史を隠蔽したり、話を盛ったりするのは、ついに世界征服できなかったという負い目のなせるわざではないか、と。

——本当に勝っていると、抑圧がないので、おおらかになれるんですね。

内田 一回、勝っておくと、そういう「いいこと」があるんですね。

東京の華僑1500人のライングループがある（矢内）

矢内 『街場の天皇論』（東洋経済新報社）で内田先生は日本で生きていくわれわれに対して非常に関心を持っています。私も妻と子を持って、すごくそのことに関心を持つようになりました。ホリエモンが、いまは航空費も安いし、どこへ行ったってスマホとインターネットで仕事はできると言っているので、私はそれに反対する論陣を、ほぼ内田先生のロジックでやっています。

ホリエモンがどこへ行っても仕事ができるというのは、その地域に定住してインフラを整えている人がいるおかげです。食堂がどこでもあるのは、食堂は日々移動しながらはできないわけで、その恩恵だと言っています。

同時に、仮に日本が危なくなったときは、海外に逃避難地を用意しないと、と思って。

最近バンコクに「エデン」の支店ができて、バンコクのネットワークが強くなっているんです。いざとなったら、家族を守るためにも土地を捨てて逃げよう、危なくなくなるまで逃げておこう、そういうことも大切だと思うようになってきました。

華僑はやっぱりすごいです。この前、池袋で、自分と同じ年齢の華僑の女性とご飯を食べたんです。華僑もいまラインでグループが作られていて、グループの上限が500人までなんですけど、それが3グループあって。要するに、東京の華僑だけで1500人のグループがある。かといって、何かするわけでもなく、みんなで集まることもない。だけど、「ある物件が今度空くから誰か入りますか」というと、「じゃあ俺が」と反応がある。これはすごいネットワークだと思うんです。

内田 それはすごい。

矢内 拡大家族の話で、そういうものもわれわれは作っていかなきゃいけないというか、まず日本を守らねばという想いがあるんです。たとえばホリエモンは、いつだって土地を捨てられる、何ものにもしばられない、資産も人間関係もゼロベースで考え直しましょうと言って支持を受けていますが、僕はむしろ全然、逆の考えがいまたまたまあるもので。

ホリエモンはすごく魅力的ですけど、子どもを徹底した人だと思いまして、徹底的にわがままを貫いて、自分がやりたいことだけやると。

ホリエモンも実は子どもがいるらしいんですけれども、ずっと一緒には暮らしていなくて。家族がいると物理的に離れられないんです。子どもを連れてすぐに神戸に行きたくても、妻は妊娠していて息子もいて、泊まる場所も確保しなきゃいけないから旅費もかさみます。私だけだったらネットカフェで寝てもいいんだけれども、家族がいるとにかく動きづらい。僕は改易がダメージになるという意味がわからなかったんです。だって、場所が変わるだけですから。だけどおそらくホリエモンは改易されてもなんのダメージもないけれど、私たち家族を持っている者にしたら、ある場所で暮らしていこうと思ったときに場所を移動させられるのはかなりのダメージになる。だけどわれわれ庶民も、いつでも脱出できるようにならなきゃいけないなという思いもあるんです。それが華僑を作ればできる。もうちょっとでできるようになると思う、僕は。

内田 華僑の相互支援ネットワークがあれほど活発に機能している最大の理由は、中国人は伝統的に政府を信頼していないからでしょうね。日本人だと「親方日の丸」という言葉が示すように、「最後はお上がなんとかしてくれる」という甘えがあるけれど、中国人は「お上がなんとかしてくれる」という期待はほとんどない。だから、一族や同国人同士で助け合うしかない。日本人はすぐに政府の面倒見が悪いということに文句を言いますけれど、たぶん中国の人たちは政府が自分たちをケアしてくれないことに、それほどの怒りを感じていないんじゃないですか。「上に政策あれば、下に対策あり」ということが中国では言われますけれど、政府の命じたルールの隙間を縫って、なんとか私利・私権を確保しようとする。それは黙っていたら、国は何もしてくれないというクールな国家観から導かれた態度だと思いますよ。国を当てにしていないから、安全保障のためにネットワークを手作りする。

矢内 確かに僕は日本を信頼しています。

機動的に生きるノウハウが日本人にはない（内田）

内田 ユダヤ人も世界中にネットワークがありますけれど、それはユダヤ人の中央政府に当たるものが存在しないからです。イスラエルという国はありますけれど、イスラエル政府の政策を世界中のユダヤ人が支持しているわけじゃないし、イスラエル政府が世界のユダヤ人ネットワークの中枢であるわけでもない。あそこは世界中で反ユダヤ主義が吹き荒れたときに、最後に逃げ込む「逃れの街」なんです。イスラエルだけはユダヤ人が逃げ込んだときに黙って受け容れてくれる。ユダヤ人の生き延びるチャンスを国家として保障している。そういうことはさすがに個人と個人のネットワークでは保障し切れないです。機動的な生き方を称揚する人たちは、国家というものが何のためにあるのか、あまりちゃんと考えてないいんじゃないかな。

――国家というのはあくまでも作りものだという認識がないと、結局みんな国にあれよこせという形になる。

矢内 日本の左翼もそう。

内田 四方を海に囲まれている島国で、出入りがこれだけ不自由だと、日本人には「機動的に生きる」ことのノウハウは種族の血の中にはないと思いますよ。だから、ホリエモン的機動性は、外国のやり方を学んでいるんじゃないですか。華僑であったり、ユダヤ人であったり、コスモポリタンやノマドの生き方を参考にしているんだと思います。でも、世界全体から見たら、ノマド的な機動性のうちで安んじて暮らしている人なんて、全世界の0・1%もいないと思いますよ。99・9%の人は身動きできない。身動きするときは難民になるときです。

――矢内さんところのご先祖の和歌山の人たちは海洋民だから、開かれたところがあったのかしら。

矢内 先ほどの内田先生の話でいくと、私は誰を自分の先祖にしようかと非常に迷うところなんです。父の母である僕のおばあさんは部落問題に非常に関心があったそうですけど、うちは親族を大事にしないので、親族の話をほとんど語らない。むしろ親族から非常にパージされてきた家族だったので。だから母方の親族も祖父母だけは知っているんですけど、それ以外はほとんど会ったことがない。

うちの母は東大全共闘に参加して、東大の1年のときに大学を辞めています。だから、母の実家としては、せっかく東大に行ったのにということになります。母方の親族の葬儀に行くというときに聞こえてきた話では、母親は東大を中退して、沖縄で集団農業をしていたのですが、親族の間では、母は東大を卒業して、アメリカの大学に留学したことになっていたんです。

――言えなかったんだ。

内田 なるほど、それは痛ましい。家族史の中から抹殺されている。

矢内 父は、大学を名乗ってもいたので、間違いではない。アカデミーを名乗っていたので。

内田 沖縄でアカデミアをつくっていたと。

矢内 自分は親族の一端みたいなものが、ごくわずかしかない。いとこも、父方のいとこはアメリカで大学教授をしているらしいとか、父方のおじは外交官だったらしいとか、でもほぼ会ったことがない。ウィキペディアを、この人がいとこなんだと思いながら見るんです。要するに、ほぼ兄しかチャンネルがない。だからかなり特殊と言えば特殊です。いまからそれを回復もできない。

先ほどのお話で言えば、双方の話は聞けないわけです。ただそこで育った立場から言うと、われわれに財産をくれればパブリックにすると主張して親族と揉めているという印象はあります。だからこれも非常に難しい。パブリックにすると主張しているけど、果たしてそれはパブリックになっているかと言うと、私的に使われているような気もする。では私的とはなんぞやと言うと非常に難しい。だからメンバーと親族は断絶しています。私にとってはそこしか家族がない。

——天皇家のことはどういうふうに伝わっていたの？

矢内 内田先生が言うところの日本の人民が天皇を愛しているという感覚に近いと思います。天皇家の尊重というのは難しい。個人単位かもしれない。

内田 日本の場合は、海民、山民、芸能民、武芸者、博打打ち、巫女、勧進聖、山伏といった遊行の人々がいるわけです。彼らはその生業の都合上、広範囲を移動しなければならない。でも、移動の自由のためには関所や港や市や宿場の自由通行の保証が必要になる。そして、古代から、ノマドたちに通行の自由を保証していたのは天皇なんです。

ノマドたちは「無主の地」である山林や湖沼河川や海を生業の場とするわけですけれど、それらの「無主の地」は天皇が直轄する「御厨（みくりや）」とみなされていた。ですから、「無主の地の住民」であるところのノマドは、法理上は天皇の直轄民とみなされる。社会の周縁部にいるノマドたちに、社会成員としての資格認定をしていたのが天皇なんです。だから、後醍醐天皇の革命のときも、主力になったのは、ノマドたちと、楠木正成のような出自の知れない「悪党」たちでした。

日本では、真ん中に堅気の人たちがいる。天皇もノマドたちも「堅気の勤め人」じゃないんです。アウトローである天皇がアウトローであるノマドたちの存在をオーソライズする。そういう独特の形式なんです。

神社がたくさんあると管理しにくいから潰せというのが神社合祀令（内田）

内田 先日、ミシマ社の三島邦弘くんを相手にして、「宗教と地方移住」という変わったテーマで話をしました。若い人たちの間にいま地方移住の動きがあるわけですけれど、その背景には、何か宗教的なものの復活があるんじゃないか、と。

その着想の裏を取るために、まず廃仏毀釈について調べたんです。廃仏毀釈は「神道が残って仏教が排斥された」と思われがちですが、実はそうでもない。仏教への攻撃の前に、まず排斥されたのが、六部と虚無僧なんです。それから勧進聖や巫覡（ふげき）、狐下ろし、梓巫女といった、旅する宗教者たちがまず弾圧された。

そのあと、神仏分離令で、仏教から国家神道が単離されて、国家的なイデオロギーになるわけですけれども、それは別に神道が尊重されたということじゃないんです。というのは、そのあとに今度は神社の統廃合が行われるからです。

国家神道の建前上、日本中の神社はすべて公的に管理されるべきなんですけれども、日本に20万社もある神社のすべての管理コストや人件費コストを負担できるような財力は政府にはない。だから、「神社を潰せ」という話になった。一村落につき神社は一つまで、それ以外のものはぜんぶ壊せということが命じられた。地域の人たちは、それぞれにささやかな信仰の対象として社(やしろ)や祠(ほこら)を持っていたわけですけれど、それを壊すことになった。そして、わずかな期間のうちに、20万社あった神社のうち7万社を潰した。管理しやすいからという理由で、役所の近くにある神社を残したり、有力者が自分の家の庭に作った神社を残したりする一方で、由緒のある神社や氏子の多い神社もどんどん潰した。そのときに廃社された神社の資産を民間に格安で払い下げて、民間業者が鎮守の森の木を伐採して、はげ山にするというようなたいへんに醜悪なことが日本中で行われた。それに対して、はげしい批判を加えたのが南方熊楠(みなかたくまぐす)です。

このことから知れるように、国は別に神道をたいせつに思っていたわけじゃないんです。

宗教を国家統制したかっただけなんです。最近もまた国有林の木を民間業者に払い下げて、はげ山にするという計画が新聞に載っていましたけど、100年経ってもまた同じことをやっている。違うのは、今度はそういう所業に筆誅（ひっちゅう）を加える熊楠がいないということだけです。

矢内　「100年前新聞」ですね。

内田　明治政府は宗教の近代化、宗教の国家統制をめざしたわけですけれど、そのときまず標的にされたのが、神仏習合という教理、もう一つは遊行の宗教者という生き方でした。神仏習合という教理と、宗教者は旅をするという生活形態は実際には不即不離のもので、それこそが日本人にとって一番ベーシックな宗教生活だった。それを支えていた人たちが最初に弾圧されて、神道と仏教という体系化されたものだけが残り、次に仏教が弾圧されて、さらに神道の中で国家管理になじまないものが廃された。そういう順序で宗教の近代化は行われたんですけれど、一言で言えば、宗教生活を国民の手から取り上げて、国家管理にしたということです。

もう一つ特筆すべきことは、御師（おんし）という制度が廃絶されたことです。御師というのは、伊勢とか出羽とか出雲とか富士山とかにいた宿坊のオーナーであり、かつツアーコンダクターをしていた人たちのことです。神社仏閣に参詣する人たちは「檀那（だんな）」と呼ばれて、それぞれの村落で「講社」というものを組織していました。そして、農閑期になると、檀那たちのうちから何人かが選ばれて、聖地に「代参」をした。

江戸時代には年間300万人が伊勢参りに行ったそうです。日本の人口が3000万人のときの300万人ですから、たいへんな数です。その伊勢詣でをする人たちを受け入れて、宿の世話をして、参詣の案内をするのが御師です。江戸時代末期の伊勢には1500人の御師がいたそうです。

御師と檀那の間には、宿屋のオーナーと宿泊客というビジネス的な関係と、聖地における霊的経験の先導者と初心の修業者という宗教的な師弟関係という二重の関係があったわけです。これを「師檀（しだん）制度」と呼びます。

でも、神仏分離で伊勢神宮の中にある仏教系の施設がすべて撤去されると同時に、御師という制度そのものも明治政府は廃絶を命じた。だから、明治になって伊勢神宮は皇祖を祀る神社として日本一格式の高い神社になったわけですけれども、そのときに伊勢詣でする人の数が歴史上最低になった。宿坊を経営して、参詣者を案内する人がいなくなっちゃったんですから。

師檀制は、富士山や出雲大社、羽黒山などさまざまな聖地にありました。羽黒山伏の場合も同じです。山伏が宿坊を持っていて、日本各地にある講社から、参拝者がその宿坊に来る。そして、山伏の先達で出羽三山で修行して、温泉に入って、見物しながら帰ってゆくということをやっていた。

羽黒山で山伏が復活している（内田）

内田 明治時代に宗教を国家統制したのは、キリスト教に対抗できるような一神教的な宗教体系を作る必要があると岩倉具視や大久保利通が考えたからです。そういうふうにものの本には書いてあります。たぶんそうなんだろうと思います。

国民の宗教生活をシンプルで管理しやすいものにするために、それまで生活に密着していた前近代的な宗教性をまずそぎ落とした。いわば、庶民の生活と宗教を無関係なものにしてしまった。身の回りになまなましい宗教的なものが何もない、宗教的な真空地帯、無菌状態をまず作り出しておいてから、トップダウンで天皇信仰のための国家神道を落とし込んだ。よく計算された宗教統制だと思います。それが明治期に行われて、成功した。そうやって日本人の宗教性が根こそぎにされてしまった。

新渡戸稲造（にとべいなぞう）がベルギーで、日本では学校では宗教教育を行わないと語ったとき、その地の法学者に「宗教なしで、どうやって道徳教育を授けるのですか?」と驚かれたという逸話を『武士道』で書いています。その問いに新渡戸は絶句してしまった。後になって自分にものごとの理非や正邪の判断を教えたのは宗教ではなくて、武士道だったという説明をしています。そこから知れるのは、明治初めの日本の青年知識人にとって、伝統宗教はもう生活の中でほとんど重きをなしていなかったということです。若者たちが真剣に論じるに足る宗教としてはキリスト教しかなかった。

そういう時代が長く続いたあとになって、21世紀になって、前近代的な宗教性が復活しているのではないかという話を三島君を相手にしました。

修験道が復活してきているからです。僕の知り合いの星野文紘さんという羽黒山伏の方がおられて、羽黒の手向という集落に宿坊を構えています。僕は7、8年前から毎年5月になると羽黒へ行って、星野さんの宿坊に泊まって、山伏の方と交流することが習慣になっているんですけれど、最近集まる山伏って、若い女性ばかりなんです。今年もそうでした。そして、彼女たちの顔を見渡しているときに、「なんか、巫女顔だな」と思ったんです（笑）。女性の山伏たちは、だいたい東京に住んでいて、横文字系のおしゃれな仕事をしている人たちが多い。編集者とかデザイナーとか自分で会社経営しているとか。そういうバリバリのやり手のお姉さんたちで、「ちょっと巫女顔」という方たちが、出羽三山を歩いて、祝詞や般若心経を唱えて、滝行している。山伏の行って、半端じゃない苦行なんですよ。それを乗り越えて山伏になった女性がずらりと並んでいる。すごくインパクトがありました。

もちろんこの方たちは日本の宗教史なんて詳しくは知らないと思います。明治政府によって修験道が弾圧されたことも、羽黒の手向の山伏たちが神仏分離に抵抗して、最後まで神仏習合を守り抜いた例外的な宗教者だったということもたぶんご存じないと思う。別にそういう宗教史的意義を踏まえて「山伏になろう」と思ったわけじゃないんです。直感的に、「なんか修験道ってよさそう……」という感じで来た。女性の直感は侮れないです。この人たちは前近代の神仏習合という宗教性、旅する宗教者の復活ということを皮膚感覚で感知している。

三島君からは山口県の周防大島に移住した中村明珍君の話を聞きました。パンクバンドのギタリストだった中村君は、3・11のあとに奥さんの実家があった周防大島に移住して農業をしていたんですけれど、たまたまご縁があって、得度して僧侶になった。最近、自分のお寺を持ちなさいと言われて、この間、軽トラックでご本尊を運んできて、島に小さなお寺を建てたそうです。

こういう動きを見ていると、いま日本では「宗教の再生」が起きているんじゃないかという気がするんです。創価学会など従来のいわゆる教団宗教や、えらてんさんが戦っている幸福の科学のような新興宗教とは全然違う文脈で、もっと古い淵源を持つ宗教的な違うところから新しい宗教復活が起きている。ご本人たちは宗教的なことをやっているという意識があまりないと思いますけど。

矢内 宗教的な意識はないんでしょうね。

内田 明治維新の宗教の国家統制から150年間抑圧されていた日本人の土着的な宗教的な情念がかたちを変えて、甦ってきたんだと思います。

星野さんはいま修験道の行場の「再生」をしています。修験道の行場は、筑紫の英彦山、大山、白峯、富士山、出羽三山と、日本中にありましたが、その多くはもう廃れてしまっている。でも、山伏は行場に行くと、ああ、ここは修験道の行場だったところだってわかるんだそうです。山伏やマタギは道のない山中に入って行きますが、星野さんも山伏の歩く道はわかるそうです。山の中を歩いてゆくと、ちゃんと鎖場があり、滝がある。そういう行場に立つと、昔の山伏が、どの場所で、どういう行をしたのかがわかるんだそうです。

星野さんには独特の宗教的な直観があるんでしょうね。だから、150年以上放置されている修験道の旧跡を訪ねて、そこに地元の若い山伏たちを連れていって、一緒に行をする。すると、廃れていた行場が復活する。そういう「行場のレストア」を九州や四国や淡路島でずっとされている。その話を聞いて、なんだかすごいことが起き始めているなあと思いました。

組織化した宗教は異端を排除する（矢内）

矢内 僕は最近、あらゆる宗教団体に嫌われています。僕が創価学会の若手幹部にインタビューをする動画を、YouTube に出したんです。もちろん創価学会の幹部も了承していました。動画では、創価学会の内情や勧誘方法、あるいは本部の職員の給料はいくらかなどと語ってもらったのですが、その若手幹部が創価学会本部からめちゃくちゃ怒られて、どうしても消してほしいと彼から頼まれて、消しました。そのとき彼が言ったのは、YouTube のような国民が皆、発信できるような制度は、大型宗教にとってはもうセキュリティホールでしかない、ただ危ないというものでしかないということです。

ほかにも日本基督教団の王子北教会の沼田牧師という現役牧師にも、牧師の生活はどうだ、給料がいくらだと話をしてもらったら、これも日本基督教団からめちゃくちゃ怒られて、非常に立場があやうくなって、「これはもうお願いでしかないんだけど、申し訳ないけど消してほしい」と言われました。確かに人間関係がありますから消したのですが。

でもこの趨勢は止められないでしょう。たとえば僕が、消さないぞと思ったら消せない

んです。いまiPhone一台でYouTube発信というボタンを押せば、僕たちが話している
この状態が、まさに外の世界に中継されていくわけです。

内田 やめてね（笑）。

矢内 あらゆる宗教は勧誘をして新しく人を入れるので、ときに訳のわからない人も入ってきます。その人たちも含めてうまくマネジメントできない宗教は、非常に脆弱になっていく。ネットに出た情報を潰すという手段で対抗する宗教はこれから厳しくなっていくだろうと思うんです。出されたらまずいものが出たら削除するしか対抗手段がないのはまずい。むしろ、それをうまくハンドルしていく形でないと、既存の宗教は衰退していくのではないか。

創価学会はいま非常に高度になっていて、創価学会内の民間信仰を認めない方向にいっているように感じます。私の地元の店に、よく60歳前後の創価学会員の女性が来ていたんです。その人は一時期、非常に奇行が激しく電車の中で裸になってワーッと叫んでしまうタイプの人だったのですが、非常に私のことを慕ってくれて、仲良くしていました。彼女がそういう奇行をしたときに、創価学会の地元の婦人部から「創価学会の恥だ」と怒られて、学会に行けなくなってしまったんです。だから自宅のご本尊を拝んではいるけれど、創価学会の会合には行っていないと。選挙の応援もやりたいけど、パージされているので

行くことができないという話を聞いて、なるほどなと思ったところです。

要するに初期の宗教は、そういう訳のわからない人が寄り集まって、なんとかやっていくことを本来の役割としてもっていたと思うんですけれど、時間がたって組織化すると、そういう人たちを排除するという対応をするようになる。もちろん異端を認めている宗教もあって、幸福の科学では、そういう会員がYouTubeをやっていたりもします。そして僕自身は突然、家に行って質問して録音したりする、訳のわからない人という立ち位置ですけど。

YouTubeが訳のわからない方向で発展していて、「宗教」で検索すると僕の動画が一番上に表示されたりするんです。宗教学者の島田裕巳先生とYouTubeの動画を何回か撮ったのですが、日本テレビの番組に監修者として出られたときに、「この人、見たことある。えらてんチャンネルに出ている人だ」という声がネットで上がりました。これはすごい状況です。

内田 確かに。

矢内 僕は学習塾をやっていたので、中高生の感覚をけっこう取り入れるようにしているんです。彼らの話を聞いていると「好きなテレビ番組」とは言いません。話題になるのは「どのYouTubeが好きか」で、そもそもテレビ番組という括りではないんです。

内田 もう子どもはテレビを見ないんだよね。いまのテレビは完全に高齢者オリエンテッドなプログラムだから、中高校生が見て面白い番組なんて一つもないもの。

矢内 ドラマを見ている人はいますが、どうしたってテレビよりユーチューバーの影響が大きい。政治に関心がある人だと、新しく出てきた政党に傾倒してもおかしくないし、嫌韓になってもおかしくないし、イルミナティの陰謀を信じてもおかしくないという状況です。

――ファーストコンタクトがあったところにハマってしまうみたいな感じがありますね。

矢内 そうですね。やはりユーチューバーには、すごく特殊な側面がありまして、たとえば文春砲が効かない。仮に週刊誌がユーチューバーのスキャンダルを出すとしても、予告した時点で、先手を打って動画を出すんです。「これはこれこれこういうことで、もう先方とは話がついていています。お騒がせして申し訳ありませんでした。おい、でも『週刊文春』、ふざけんなよ!」みたいな感じで言うと、『週刊文春』のほうが悪者になってしまう。つまりマスコミによるチェックが利かないんです。これが政治と結びつくと非常に危険です。どんなスキャンダルでも、その人が自分の口で説明していることと、単純接触効果で無効になってしまうんです。初見で見たら「何を言っているんだ、こいつは」と思うような言動でも、毎日見ている人だと信じられてしまう。だって、毎日その人の言うことを聞いているわけだから、単純接触効果というのは非常に大きいです。

内田 僕も中田先生のご飯の写真を毎日ネットで見ていると、家族のような気持ちになってきます（笑）。

人気ユーチューバーはプロダクションに所属している（矢内）

矢内 動画はツイッターより単純接触時間も長く関係性も作りやすいんです。僕が変なことを言っても「軌道修正するだろう」と信頼してくれます。そういう関係性ができていると、おかしな言動でも、「この人の言うことはなんでも正しい」と思われてしまうんです。

それと、ケンカや揉めごとは数字が取れるんです。「いま、裁判所の前です」なんて動画は非常に再生回数が増えます。すると経済合理的観点から裁判を仕掛けるようになります。みんなが揉めごとを見たいとなると、積極的に揉めごとを起こすようになるんです。大げさに言えば、それが戦争につながることもあります。みんなが支持するとなれば、好戦的になってくる。それは私も危惧しているところです。自分も裁判をやったりしていますから。

内田 そうなんだ。

矢内 僕は自分から仕掛けたわけではなく、相手から仕掛けられたのを、弁解しているだけなのですが、まわりから見れば一緒でしょう。

「NHKから国民を守る党」の立花孝志さんのYouTubeの収益も、月間200万円くらいになっています。

内田 そんなに儲かるものなの、YouTubeって。

矢内 僕でも先月は50万円くらい。

内田 すごい！　新しい職業なんだ。

矢内 完全にそうです。論文ユーチューバーの友人は月1万円くらい。だいたい最初は1万円から5万円くらいですが、臨界点はなく増える人はどんどん増えていくんです。20万円ぐらいで安定するということがなく、ゼロか数百万円以上か。再生回数が2倍に伸びれば、そのぶん収入も2倍になるということです。

――ユーチューバーでもトップの人たちは、プロダクションに入っていますね。

矢内 そうです。僕は僕一人で完結するのでプロダクションは不要ですけれど、僕と仲良くしている、「まっすー」というアムウェイと戦うユーチューバーは、入っています。

内田 いろいろなことをやっている人がいるんですねえ……。

矢内 彼は非常にまともな人間です。東大法学部を出てから不動産会社に勤めて、辞めてぶらぶらしているときにYouTubeをやったら跳ねた。その「まっすー」が言っていたのは、「お笑い芸人とユーチューバーが違うのは、ユーチューバーは個人戦だ」ということです。お笑い芸人はテレビ番組として一つのプログラムがあって、それに対してみんなが同じ目的を持ってまったく同じ時間に集まって、一つの笑いを生み出します。お笑い番組以外でもそうで、テレビ番組はそういう団体戦です。

ところがユーチューバーは個人戦で、たとえば僕が動画を撮ってネットに上げれば、一人で完結します。だから、ほかの人とうまくやるとか、調整するとか、そういうテレビ的な適性がなかった人に向いています。私はまさにその適性がなかったんですが。

内田 そうなんですね。

矢内 でも、できてしまう。できてしまうと、あらゆる団体や思想が出てきて、中にはよくないものも含まれます。先ほど内田先生がおっしゃった山伏の復活も、そういう文脈において危険性もあるでしょう。

——内田先生がおっしゃった、明治期の宗教の合理化で宗教概念自体がずいぶん変わって、創価学会のような大きな宗教は、国家をモデルにした官僚制のようなものになっています。身体性のある宗教はあまり広がりませんが、続いていく。

YouTube もそのうち編集者やプロデューサーも必要になってきて、次第に大資本に取り込まれていくと思います。

矢内　いまYouTubeはもうほぼ大資本が入っていて、ＵＵＭ（ウーム）というのが一番大手です。そこの鎌田和樹さんという社長は光通信の出身で、ＨＩＫＡＫＩＮとか人気のユーチューバーは皆、そこに所属しています。

内田　所属って、そこはタレント事務所なの？

矢内　ユーチューバー事務所。むしろそこに属していることがバリューになる。かなりの経済が動いています。

——いずれ政治のほうでも利用するかもしれない。

矢内　現在すでにそうなっています。はなおさんという、チャンネル登録110万人くらいのユーチューバーは、麻生太郎さんや石破茂さんと、しばしば会食しています。

内田　自民党は、もうそういう層まで取り込んでいるんだ……。やるなあ。

矢内　そういう点では自民党は偉いと思います。

内田　あの人たちは実現すべき理想はないのに、権力を手離さないためには思いつく限りのあらゆる手を使うからねえ。

矢内　それを一番大事にしている。内田先生は、自民党を手厳しく批判されますけど、私は最近、維新の党でもまだ良かったと。「ＮＨＫから国民を守る党」など、見るに堪えません。

——もっと嫌なのが出てきました。

矢内 だんだんひどくなっています。

内田 新しいものであればあるほど、変なのが出てくる。

矢内 そう。「ツイッターは長文が読めない人間のツールだ」と中田先生がおっしゃっているのは、まさにそのとおりですが、ユーチューバーでは「文字が読めていない」と思うコメントがいっぱい来るんです。もう話が通じない。YouTube というのは本当にどうなんだと思いながらやっていると、次はティックトックが出てきました。

内田 何ですか、ティックトックって。

――15秒ぐらいの動画サービスで、基本的には踊りなんです。踊ってワンフレーズぐらいのことを言っておしまい。

矢内 YouTube は時間制限がないのですが、ティックトックは15秒という時間制限があるんです。それが若者にすごく人気があります。だからすでに YouTube は「長時間の動画を見てくれて良かった」と思う段階にきています。これをなんと呼んでいいのか。長いものを見る耐性がどんどんなくなっていて、映画は2時間、YouTube は長くても1時間15分、ティックトックは15秒なので、長いものを見る能力がどんどん失われています。

世の中はひどく悪いときと、普通に悪いときの波があるだけ（内田）

――小泉純一郎さんの「自民党をぶっ壊す！」みたいにやって乗せていくと、かなり影響力があるでしょう。いまは自民党以外の政党は、維新にしても、都民ファーストの会にしても、大ざっぱに言ってしまえば全部右翼系です。

矢内 ＮＨＫから国民を守る党は、本人はどちらかというと左翼的な気がします。自民党批判もしている。

――自民党批判はみんなしています。そういった中で自民党が中央にあって、批判している人間がいるほうが、自民党にとってもいいので、おそらく、これからもずっと潰さないでしょう。そういう人たちがいたほうが、相対的にましだと思われるから。

内田 まだ自民党のほうがましだと。

矢内 維新の党もましです。維新の党は、戦争しようと言った人を除名してくれますから。

――そういう人たちは、動画を見ている人に自己肯定感を与えるのです。日本は素晴らしい国だという形で。おそらくその点でもうまとまっていて、ずっと続いていくような気がします。

彼らは、「自分だけが真実を知っていて、ほかの人間たちは知らない」と思っているんです。

矢内 すごいことです。

内田 でも、僕はいまがそれほどひどい時代になっているとは思わない。「ひどく悪いとき」と「ふつうに悪いとき」の波が交互に来るだけで、それは僕が子どものころからずっとそうだったような気がします。1960年代だって、やっぱりほとんどの若者はバカでしたよ。全共闘の学生だって、一番最初に運動を始めたオリジネーターたちの世代は別ですけれど、運動が全国規模になってから祝祭的な気分で参加してきた大勢には別に深い考えなんかなかった。左翼的なジャルゴンをぺらぺらしゃべっていただけで、自分の頭で考えた自分の言葉を語っている人間なんか、ほとんどいなかったです。だから、昔全共闘いまネトウヨなんてのはいくらもいます。ものを深く考えないで、時流に乗って騒ぐという人間はいつの時代でもいるんです。それは昔も今も変わらない。そういう人たちがいつの時代でも圧倒的多数で、彼らが強い現実変成力を持っている。でも、70年生きて見てきた経験によると、深くものを考えない人がする運動は長くは続きません。

矢内 続かないでほしい。

内田 やっぱり知性の力というものはありますよ。説明のむずかしい出来事について、頭のつくりがシンプルな人たちは、背後にいるのはイリュミナティだ、ユダヤ人だ、フリーメイソンだというようなシンプルなスキームで説明してしまう。でも、実際に、どんどん新しいことが起きていて、単一の「マニピュレイター」がすべてを操作しているという説明では追いつかなくなる。

ユーチューバーの出現だって、僕からすると予測したこともなかった新しいコミュニケーションのかたちです。このメディアがどういうふうに使われることになるか、テクノロジーを考え出した人たちは、たぶん予測できていなかったと思います。こういう出来事については、単一の「オーサー」が計画して、管理して、そこから受益しているという説明は成立しないでしょう。だから、現実に対応しようと思ったら、手持ちの説明スキームをそのつどより複雑化してゆかないといけない。

でも、実際には、現実が複雑になればなるほど、シンプルな物語が選好されるようになる。その方が楽だから。でも、複雑な現実を単純なスキームに落とし込むということは、それ自体が生物の進化の法則に反している。知性は自然過程として複雑化し、進化する。だから、複雑な現実を単純な図式で説明するというのは「反自然」なんです。僕たちのDNAに刷り込まれている「複雑化したい」という志向に反している。

反知性主義というのは、要するに「話を簡単にしてくれよ」という要求のことなんです。「これって、何なんだよ?」という問いに「要するに、こういうことですよ」というシンプルな答えで応じるということです。そんな説明をしても、実際には対応できない。だから、説明できない事象は「なかったこと」にして、スルーする。でも、主観的に「なかったこと」にしても、客観的にはそこに「ある」わけですから、いずれどこかで「なかったはずの現実」にぶつかる。「なかったこと」によって取り囲まれて、身動きならなくなる。そこまで追いつめられたら、しかたがないから、どこかの段階で人間たちは「より複雑なスキーム」に切り替えるようになる。その程度には集団的な知性の力が働くと僕は信じています。

矢内 信じたいです。

内田 村上春樹がどこかで言ってましたけれど、時代によって知性の総量に変化はない。知性の分布に変化があるだけだ、と。僕もそう思います。いまは大きな声でしゃべって、世論を牽引しているような人たちのところに知性がなくなっていて、まったく思いがけないところで新しい知性の動きが見えてきている。知性的な人たちがあるところに「ダマ」になって棲息しているんですけれど、メディアがその分布の変化を感知できていない。えらてんさんもそういう知性の偏りのひとつの例だと思う。知性の分布って、外から見ればわかるんです。自分でもうまく説明できない複雑なことをうれしそうにやっている人のところに知性が集まる。

いまメディアの中枢にいて発言している人はジャーナリストでも学者でも、申し訳ないけれど、複雑な話を複雑なままに扱うことができなくなっている。それはマスメディアが「話を簡単にできる人間」にしか発言機会を与えないできたからです。だから、政治的立場がどうであれ、シンプルな話をする人間ばかりが選択的にメディアに露出してくる。複雑な現実は簡単には説明できないという当たり前のことをみんな忘れている。複雑な現実は複雑なんですよ。簡単に説明してくださいというような要請にはお応えできないんです。

だから、これまでの既成の枠組みの外からしか、ほんとうに知性的なものは登場してこないだろうと僕は思っています。でも、必ず登場してくる。これについては僕は確信があります。まったく新しいものの見方、とらえ方を提示する人はいつも思いがけないところから登場してくる。これまでもいつもそうだったんですから。

「複雑な話は嫌いだから、簡単にしてくれ」と言う人たちはいまメディアに媒介されて、世界の一隅に集められている。圧倒的に頭数は多いけれど、それでも彼らがいるのは「一隅」でしかないんです。狭いところに、似たようなことを言う似た者たちが、ぎゅうぎゅう詰めにされているだけなんです。

矢内 そうなんです。

内田 ヒトラーだって、個人的能力がどれほどあった人だかわからないけれど、こいつを利用しようと思った人がとてつもない数いたわけです。ヒトラーを自分の権力保持や金儲けに利用しようと思った連中たちが争って彼を担いだ。結果的には担いだ神輿に踏み潰されましたが、それは例外的な事例です。

矢内 例外的であってほしいです。

フランスで「はっぴいえんど」がはやっている（内田）

内田 スターリンやヒトラーや毛沢東はきわだって例外的な事例です。それくらいのスケールの出来事は一つの国では100年に一回くらいしか起こらない。日本でそんなに何人も出て来るとは思えない。僕はまだ大丈夫だと思います。いまの話を聞いていても、YouTubeもある世代、ある階層より外には伝わっていないでしょう。

先に、ユーチューバー世代のミュージシャンが歴史的系譜のない音楽を創り出したという話をしましたけど、その一方で、フランスでは、YouTubeのおかげで、日本の1970年代のロックの再評価が始まっているんです。「はっぴいえんど」なんて日本の国内市場だって、かなりマイナーな存在でした。たぶん1万枚くらいのレコードセールスだったと思います。もちろん世界的にも全く知られていなかった。ところが最近になって

YouTubeで若いフランス人たちが聴き出した。そして、「すごい、1970年代に日本ではこんな音楽をやっていたのか」と驚嘆して、「当時の日本のポップスは世界最先端の音楽だった」という評価がなされるようになって、研究書が出たり、コンピレーションのCDが出たりしている。

音楽一つ取ってみても、歴史的、経時的な展望の中で見るか、無時間的に一望俯瞰するか選択肢が二つあるんです。一望俯瞰の方がリスナーからすれば自由だし、全能感を感じられるかもしれないけれど、経年的に見てゆくと、それなりによいこともある。それは新しいと思っていたものが、何十年か前にあったもののリバイバルだということがわかるということです。歴史的なものの見方の最大のメリットは、「まったく新しいものが登場した」とみんなが信じていることについて「それ、昔あったものが意匠を換えてでてきただけだよ」ということがわかることです。

マルクスが『ルイ・ボナパルトのブリュメール18日』に書いているように、前代未聞の政治的事件だと思われているもののほとんどは、過去の出来事の焼き直しに過ぎない。装束を替え、仮面を替えて、同じ芝居を再演している。

ユダヤ人の世界政府とかイリュミナティの陰謀とかフリーメーソンの陰謀とかいう与太話は、何度も何度も再演されて、もう200年やっています。そのつどそれを「はじめて聞いた隠された真実」だと思い込んで、大騒ぎする人が出て来る。単に無知なだけなんです。

歴史的にものを見ると、同じものが何度も何度も、外見をちょっと変えただけで繰り返して登場してくることがわかります。この「いつものあれ」をチェックしておくことがすごく大事なんです。「本当に新しいもの」の登場に気づくためには、「古い出し物の再演」をチェックして、タグをつけておかないといけない。「新しい顔をした古いもの」をわきに除けた後に残ったものが「本当に新しいもの」なんです。「新しい顔をした古いもの」は歴史的にものを見る習慣がないと検出できない。無時間的に一望俯瞰していることの怖さは、すべて新しく見えてしまうことです。オリジナルとコピーが区別できない。ビートルズとそのコピーバンドを等価のものとして、「どっちがいいか」聴き比べるようなものです。ビートルズがいなかったら、そのコピーバンドそのものが存在していないんだから、これを等価の現実としてみなすということはしちゃいけないんです。

僕がこのことを学んだのは、マルクスだけじゃなくて、「はっぴいえんど」のメンバーだった大瀧詠一という音楽家からです。大瀧さんは歴史の中で音楽を聴くということを徹底的にやってきた人です。亡くなる前に放送していた『アメリカン・ポップス伝』というラジオ放送があって、その第1回で大瀧さんはアメリカのヒットチャートのナンバーワンの曲を、1951年から56年まで全部流したんです。カントリーとリズム&ブルースとポップスの3ジャンルすべての1位になった曲のさわりだけを流した。50分間延々と。そして、最後に、1956年にエルヴィス・プレスリーの『ハートブレイク・ホテル』が出てくる。これがそれまでのどんな音楽とも違っていた。そうやって経年的に聴くと、エルヴィスがそれまで存在しなかったまったく新しい音楽を創り出したことがはっきりとわかる。僕はロックンロールがジャンルとして完成して、大量のミュージシャンがエルヴィスの真似をしていた時代に音楽を聴き始めたので、プレスリーを聴いても「すごい」とは思うけれど、それがリアルタイムでどれだけ「新しい」ものだったかはわからない。大瀧さんには、「本当に新しいもの」を感知するためには、歴史的にものを見ないとわからないという、非常に大きな教訓を頂いたんです。

矢内 歴史的に聴くか水平的に聴くかということでいえば、YouTubeを使っていると、たとえばベトナムのポップスの次にブラジルのポップスには移りづらいでしょうね。なぜならAIに「こんな曲はどうですか」とお勧めされない。

内田 AIのお勧めね。

矢内 そう。レコメンドが大きな影響力を持ちます。歴史という面でも、いつまでも残っているとは限らない。あるユーチューバーがいいことを言っていたなと、あとで聞き直そうとしても動画が消されていることがけっこうあります。だから僕も原典を確認できないことが増えていて、自分が本当に新しいことを言えているのかどうか、確信が持てないときがあります。

内田 それが困るんだよね。ツイッターでの論争では、論争のもとになったツイートが消されていることがある。あったことがなかったことにされたり、書き換えられたりしてしまう。

――学会誌では、インターネットにあがっているものは、削除されてしまうかもしれないので原則的に引用できません。記録が残っているのは大切なことで、それだけが学問として認められます。

内田 学問では典拠にあたることができる、帰趨点の参照ができるということが、一番大事なことですから。

――すべての先行文献を読んで初めて、本当に新しいものが認められるんです。新しいものが積み重なっていきます。

矢内 本当にそうです。

フランス革命を企てたのはユダヤ人という論がまかり通ってしまう（内田）

内田 陰謀史観はフランス革命のときに始まったんです。貴族や僧侶ら特権階級がイギリスに逃げて、そこで夜な夜な「いったい何が起きたんだろう」と話し合っていた。どうしてこんな巨大な革命が一夜のうちにブルボン王朝を覆すことができたのか。それが説明できなかった。しかたがないので、秘密警察にさえその予兆がつかめなかったほどに徹底的に隠された大規模な秘密結社が存在して、革命を計画し、実行したという話にしがみついた。ブルボン王朝を潰すことができるのはブルボン王朝と同規模の組織でなければならないと推論したのです。

そして、「革命の張本人」探しが始まって、ババリアのイリュミナティ、聖堂騎士団、フリーメーソン、イギリスの海賊資本、ユダヤ人の世界政府……といろいろ候補が挙げられて、最終的にユダヤ人の世界政府がフランス革命を計画し、実現したという話に落ち着いた。実際に、フランス革命のあとに、ユダヤ人は市民権を獲得して、政界にも財界にもジャーナリズムにも進出して、めざましい活躍をするわけですから、間違いなくユダヤ人はフランス革命の受益者ではあったわけです。エドゥアール・ドリュモンの『ユダヤ的フランス』という近代反ユダヤ主義の「聖典」みたいな本がありますけれど、その冒頭の一句は、「フランス革命の唯一の受益者はユダヤ人である。すべてはユダヤ人を起源としている。だからすべてはユダヤ人に帰着するのである」というんです。ある政治的な事件から受益した人間がいるということと、その人間がその事件を計画したということは論理的には結びつかないんですけれど、それを自明の理とするという信じられないほど粗雑なロジックで1500ページもの本を書いた。そして、これが19世紀のフランスで一番売れた本なんです。

矢内 よくそんなに書けましたね。

内田 いくらでも書けるんです。ユダヤ人が諸悪の根源だというストーリーはもう決まっているわけですから、あとは「フランスに起こった悪いこと」を列挙していって、それは全部ユダヤ人の陰謀だというところに落とし込むだけなんですから。その本は1886年に出版されて、僕が持っているのは114版なんですけど、最終的には200版以上出たそうです。ルナンの『イエス伝』とドリュモンの『ユダヤ的フランス』の2冊が19世紀フランスの2大ベストセラーだと聞くと、19世紀のフランス人もあまり頭がよかったとは言えない。

――いまだってそういう事例だけ集めようと思ったら集められます。

内田 結論がもう決まってるんですから、あとは「諸悪」の事例を並べるだけですからね。それと同じことをやっている頭の悪い物書きは日本にいくらもいますよ。

長い文章は、賢くなったと思いたいバカに売れる（矢内）

矢内 長すぎる文章についていうと、『発達障害の僕が「食える人」に変わったすごい仕事術』（KADOKAWA）という本を出している「借金玉」という作家がいて、彼がいろいろな人間の文章を分析した結果、いわゆる、稼げるようになるメソッドを売る文章が、非常に勉強になったと言っています。

「50万円払えば稼げるようになりますよ」という詐欺みたいなのがいっぱいいて、そういう人たちの文章はとにかく長い。長くて、よくわからない専門用語がちょこちょこ出てくる。

インフルエンサーはいまはもう使い古された言葉ですけれども、最初に言い出したのは、おそらくこのへんの人たちで「インフルエンサーになってお金儲けをしよう、その方法を50万円で売ります」というネズミ講みたいなところで、最初にインフルエンサーという言葉を使い出したんです。そういう新しい言葉を随所に入れて、とにかく長くする。そうすると長い文章を読んで賢くなったと思いたいバカ向けに売れるということを、借金玉が言っていたんです。

——ちょっと高度なバカ?

内田 長い文章は読めるんだ。

矢内 文章を読んだような気になるということです。つまり流し読みして、ああ、そうだなと。

内田 それは全部ネット上で読むわけね。

矢内 無料メルマガに登録して、ネット上で読みます。私は自分の勉強のために、あらゆる「稼げるようになるメルマガ」に登録して、どういう文章を書くのかを見ているのですが、ひたすらスクロールしないといけない。

内田 長いのね。

矢内 はい。それで何を言うかというと、この時代に稼ぐなら、俺に金を落とせと。

——結局、そこ。

内田 金が欲しければ俺に金を出せ、と。

矢内 本当にいい情報にはお金がかかるというのは当たっていますが、いい情報をもっているのは自分だと。

内田 人を騙すテクニックも騙されるタイプも全然変わらないなあ。形態は変わっても。

――ビジネスモデルはネズミ講。そうやって人を使って儲ける。

内田 人間の愚鈍さの形態は、本当に変わらない。情けなくなるなあ。

矢内 それと、「いまは大学なんか行く必要ないだろう、インターネットでいくらでも情報が手に入るんだ」という論理とセットになってくるから、中田先生がおっしゃる、「学士は低学歴」というのは非常にいい言葉だと思います。いまは学士じゃダメだ、やはり大学院に行かなければと思います。

内田 僕も修士だから低学歴なんだ（笑）。

――やっぱり歴史というのはちゃんと押さえておかないと、大衆運動にならないので。本当に新しいものを見分けるにしても。

YouTubeで教養番組が増えている（矢内）

矢内 最近YouTubeで教養をテーマにしたものも増えていて、けっこう勉強になることはあります。お笑い芸人のオリエンタルラジオの中田敦彦さん、あっちゃんは慶應の経済出身のインテリなんですけど、YouTubeで歴史の講義をしているんです。一般書に基づいた講義なので、歴史的な考証がどれだけしっかりしているかは別ですが、けっこう視聴者がいて、「すごく勉強になりました」とコメントがついています。その人たちにとっては、それを見ることとイコール教養なんです。開設してから3ヵ月でチャンネル登録者数が30万人くらいになっています。

内田　明治時代に「車夫英語」という言葉があって、人力車を曳く車夫は外国人を乗せているうちに、英語をしゃべるようになる。耳から入ったセンテンスは再現性が高い。タクシーの運転手さんも非常にきっぱりとした政治的な意見を持つ人が多くて、特に驚くのは、外国人の有名人の名前を政治家でもスポーツ選手でもフルネームで言えること。僕らは新聞とかネットで読むだけだから、ロシアの外相は「ラがつく人」みたいな感じでしか思い出せないけれど、タクシーの運転手はすらすらと言える。あれは、カーラジオでニュースを聞いているからですね。センテンス単位で頭に入っていくんです。だから、ある命題をまるごと出力する。例えば、朝鮮人は許せないとか言う話になると、ちゃんと「なぜならば」と言って、数値的なデータを挙げたりする。タクシーに乗ると運転手さんとしゃべることが多いんですけど、政治的なイシューについては、「よくわからないな、うーん」と言うような内省的な人は極めて少なくて、賛否いずれにせよ、きっぱりと言い切る人が多い。

YouTubeで教養番組やるのはいいアイデアだと思いますね。耳から入ってきた命題は記憶しやすく、再生しやすい。そして一度自分の口から出力された言葉を人は「自分の中から出て来た、自分の意見」だと思い込む。

矢内　しばられるということでもあります。

内田　他人の言葉には騙されないけれど、自分の言葉には騙される。そういうものなんですよ。だから、どんな言明でも、うっかり一回口にしたら、それでおしまいなんです。「自虐史観」とか「陰謀史観」的なことでも、一回自分の口から出てきたら、もう修正が利かない。

矢内　そうですね。

内田　僕は朝道場で「お勤め」をするんですけれど、そのときに中村天風（てんぷう）先生の「今日の誓い」を唱えます。「今日一日、怒らず、恐れず、悲しまず、正直、親切、愉快に……」というのですけれど、「怒らず、恐れず、悲しまず」と口にすると、改めて「怒っちゃいけない、恐れちゃいけない、悲しんじゃいけない」ということが身に沁みる。言葉にして誓うというのは有効ですよね。

矢内　YouTubeには面白い番組もたくさんあります。チャンネル登録が70万人くらいの『クイズノック』という、主に東大大学院生、あるいは卒業した研究者からなるグループがあって、彼らはクイズ研究会出身で、かなりギャグが高度なんです。たとえば歴史の偉人麻雀をやる。どういうことかと言うと、ドラをめくると持統天皇が出てきて、持統天皇の次の天皇を知っていないと、そのドラがわからない。

内田 なるほど。それは面白い。

矢内 それがすごく人気で、グループのリーダーは『東大王』というテレビ番組に出ていた伊沢拓司さんですが、こういうユーチューバーに憧れて、いい大学を目指す子も少なからずいます。「予備校のノリで学ぶ『大学の数学・物理』」という、東大の大学院の博士課程出身の人がやっているものも非常にわかりやすく、かつ専門的に解説してくれます。

内田 そういうのはいいですね。

矢内 それも15万人くらいフォロワーがいるんです。彼に憧れて大学院に行こうとする動きが出てきているほどです。

内田 どんなきっかけだっていいんですよ。勉強しようと思うなら。

矢内 これはYouTubeの明るい話題です。

最近、フランスの哲学者なんて聞いたことがない（内田）

内田 僕は大学は仏文に行ったのですが、理由の一つは僕が中高生の頃の仏文学者たちに社会的発信力のある人が多かったからです。桑原武夫とか鈴木道彦とか。彼らは中高校生に対してもきちんと語りかけていた。政治だけでなく、芸術についても、文学についても、演劇についても、音楽についても、ありとあらゆることに仏文学者というのは一家言あるように見えた。でも、いまの仏文学者にそんなことをする人はもういませんね。

60年代は実存主義に続く構造主義の時代ですから、サルトル、カミュ、メルロ＝ポンティ、フーコー、バルト、レヴィ＝ストロース、ラカン、レヴィナス……と、とにかく日々怒濤のように新理論がフランスから到来した。その窓口になっていたのが日本人の仏文学者たちです。彼らが『現代思想』とか『パイディア』とか『エピステーメー』とかいう尖がった雑誌にじゃんじゃん書いていたけれど、肝心の原典は日本語訳がない。だから、最先端の知にアクセスしたければ仏文に行って、フランス語を読めるようになるしかない。そういうふうに信じ込んだ高校生がいっぱいいたわけですよ。僕もその一人なんです。その時期、東大の仏文科には一学年で30人くらい来てましたから。教養からの文学部進学者の一割が仏文だった。

矢内 隔世の感があります。

内田 ある時期からがたっと減ってしまいましたね。一学年5人とかにまで減った。

――浅田彰のニューアカデミズムの頃が一番のピークでした。彼らが後進を育てなかったのでダメになったのでしょう。

内田 そうですね。あのときに彼らが中高生に向かって、「文学部においでよ。面白いよ」とアナウンスすればよかったんですけどね。あのころはバブル経済で、出版社も金回りがよくて、ニューアカは自分たちだけで「内輪のパーティ」をやってじゃんじゃんお金を使って、遊んでましたからね。あれがいけなかった。高校生や大学生がのこのこ出かけても、「悪いね、内輪のパーティなんだよ」と鼻先でドアを閉められた。60年代の仏文学者は高校生相手でもドアを開けて、「よく来たね、こっちにおいで」というフレンドリーな感じだったんですけれどね。そういうふうにしないと、若い人は来ないですよ。

だから､僕も研究者になってからも若い人たちに「フランスの文学や哲学は面白いよ！」という伝道活動を一生懸命にやったんです。でも、そういうことをする人は同業者にはほとんどいなかった。『寝ながら学べる構造主義』（文春新書）は中高生に読んでもらって、仏文科に誘うつもりで書いたんですけど、同業者からは「内田君は素人相手の啓蒙書書くのうまいね」と、レベルを落とした一般向け書籍で小銭を稼いでいるみたいな扱いを受けました。僕は業界全体のためを思ってやっていたんですけれど、誰からも「ありがとう」と言われた覚えがないです。

数年前に、東大文学部からオッファーがあって、志願者確保のための高校生向けのパンフレットに出て、文学部は楽しいよという話をしてくださいと言われました。僕にまでお声がかかるということは、いよいよ東大文学部も「溺れる者は藁をもつかむ」ところまで追いつめられたのか（笑）と思いましたけれど、せっかくの機会なので、「文学部は楽しいぞ、文学部に来てみんな勉強しようよ」と、つい母校に協力しちゃいました（笑）

――やっぱりYouTubeでやらないと。

矢内 あの頃の綺羅星のごとくフランスから出てきた人たち、構造学者や思想家たちは全然継承されなかったんですか。

内田 そうです。フランスでも後続世代は育たなかったし、日本でもニューアカデミズムの勢いは継承されなかった。本当に短期間に消費されて、メディアの一部分で盛り上がったあと、サブカルに吸収されてしまった。ニューアカデミズムのおかげで大学の人文学系学科がにぎわったということはなかったんじゃないですか。

――フランス本国でも同じですね。いまのフランスを見ていると、確かにひどくなっています。

内田 50年代60年代のフランスのあの「知的饗宴」に比べると、70年代以降のフランスはやはり見劣りがしますね。いま日本の若者たちの間で話題になるフランス人哲学者なんていないですから。フランスの「内向き」に書かれているものが多いので、非フランス人読者には敷居が高いんです。レヴィ＝ストロースとかラカンとかはそもそもフランス人であることが読者としてアドバンテージになるようなものを書いていませんでしたから。

――政治を見ていても、右傾化は日本よりひどいですから。

内田　そうですよね。でもやはり波があるんだと思います。フランス人の知性が劇的に下がったということではなくて、フランス人の知性は哲学や文学とは違うどこかに分散していて、まだ僕たちには見えてこないということなんでしょう。いずれまた違う形で出てくるとは思いますけど。

第6章

日本とアジアのあるべき未来

成長している国は複雑で衰退している国はシンプル（内田）

——内田先生のご著書は韓国語に多数翻訳されていて、えらてんさんのバー「エデン」もバンコクに支店を出しました。最後の章では、日本とアジアのつながりはこれからどうなっていくかについて、歴史もからめてお話しいただければと思います。ネットでは、ヘイトや差別意識むき出しの言説も問題になっていますが。

内田 韓国に対する差別意識は実は一貫して日本人の心性の奥には伏流していたと思います。それがあからさまなヘイトに変わったのは、中国にＧＤＰで抜かれたころからじゃないでしょうか。韓国は人口は日本の半分以下の５０００万人ちょっとですけれど、ＧＤＰは2分の1に迫っています。一人当たりＧＤＰはほぼ並んだということです。１９６５年の日韓基本条約締結の頃はＧＤＰ比が30対1だったのが、ここまで来た。

でも、日本人が威圧的に感じているのは、韓国の経済成長よりも特に80年代の民主化以降の政治的な成熟の方じゃないかと思います。僕は２０１２年から毎年韓国に講演旅行に行っているんですけれど、現地の方たちと話していると、明らかに韓国社会の方が仕組みが複雑になっていることがわかります。政治的状況も、システムの変化も、より複雑なかたちに進化している。

軍事独裁の頃は、韓国の政治状況というのはシンプルだったんです。開発独裁を支持する軍部、財界、保守層と、民主化を求める市民たちというわかりやすい二項対立だった。でも、民主化以降、政治過程がしだいに複雑になってきた。朴槿恵（パククネ）大統領を退陣に追い込んだ「ろうそく革命」のときの市民たちと、いま文在寅（ムンジェイン）大統領を批判している市民たちではもう政治的立ち位置が違っている。「権力対市民」というシンプルな対立図式では説明がつかないくらいに複雑なアクターが運動している。

日韓を比較すると、若い国の政治過程は複雑化し、老衰した国の政治過程は単純化するということがはっきりわかります。複雑化してゆく国際政治に対応できるだけのフレキシビリティーを失った日本はどんどんシンプルマインデッドになっていて、すべてを「敵か味方か」という二元論でしか語れなくなっている。だから、複雑な外交的交渉ができない。韓国はいまどんどん細胞分裂して成長している過程ですから、いくつものアクターが活動していて、スキームが複雑になり、複雑なタスクをこなせるようになっている。成長している国にはいろいろなものが混在していて、一筋縄ではいかない。社会の一部を見ても全体はわからない。衰退している国はどんどん単純化・同質化が進んで、「どこを切っても金太郎」になる。日韓を見ていると国力の勢いの違いをしみじみ感じます。その国力の勢いの差を感知したけれど、意識化することを拒否している人たちが、韓国が国力で日本を追い越そうとしている客観的状況を、「韓国が日本を憎悪し、攻撃している」という被害の物語に書き換えている。

「韓国と北朝鮮、どちらが嫌いか」と聞いたら、たぶんいまの日本人は「韓国のほうが嫌いだ」と答えると思います。安全保障のことを考えても、経済活動のことを考えても、民主制のことを考えても、韓国に圧倒的に好意を抱くべきなのに、北朝鮮には日本人は核武装以外の点では「勝っている」と思っているから、嫉妬心を掻きたてられない。だから、「北朝鮮が日本を憎悪し、攻撃している」という被害の物語は政権によるマヌーヴァーとして利用されることはあっても、政府も国民も本気では北朝鮮を恐怖していない。

——韓国は、いろいろなものに対する問題を解決しようという変革のスピードが早い。

内田　早いです。軍隊が市民に銃を向けて虐殺した光州事件が80年で、あれからまだ39年しか経っていないのです。2016年から17年にかけて行われた「ろうそく革命」は100万人のデモで、死者ゼロです。軍隊が150人の市民を撃ち殺した時から、ここまでの短期間に民主主義が成熟した。これは世界史的に見ても、稀有のことです。しかもそれを他国の力を借りずに、自力でやっている。
　韓国人はまだ自前の社会理論を持っていません。経済理論も統治理論も自国の経験を踏まえて体系化したものを持っていない。だから、運動しながらいま手づくりしている。いずれ、それがかたちをとって、「韓国オリジナルの社会理論」ができあがることになるでしょう。それは外国の文献を切り貼りしてつくった学術的構築物ではなくて、自分たちの実践経験を理論化したものになる。

矢内　日本のように、与えられた形ではなく。

内田　日本国憲法に基づく戦後日本の統治体系はまるごとアメリカから与えられたものです。それ以前の明治からの政治や統治についての理論も、ほとんどは欧米からの輸入品です。自前の理論としたら、宮崎滔天、頭山満、樽井藤吉のアジア主義や権藤成卿の農本主義や北一輝の国家社会主義論あたりでしょうが、すべて抑圧されたか、あるいは矮小化されて、帝国主義戦争の装置に回収されてしまった。いま僕たちの手元に残っている政治理論で、日本人がその実践経験から練り上げたものなんか、ありません。ほぼすべて欧米からの輸入品です。日本国憲法前文にはあの憲法を日本国民が制定したと書いてありますけれど、それは端的に嘘でした。その嘘を信じているふりをしているうちに、ほんとうに民主主義が根づくと思っていたのでしょうけれども、結局は日本的な民主主義がかたちをとる前に、その嘘も賞味期限が来てしまった。そして、大日本帝国の劣化レプリカのようないまの政権を、戦後74年かけて日本国民は創り出したということです。

韓国ではいま、日本が朝鮮半島を支配していた時代、朝鮮戦争の時代、開発独裁の時代、民主化闘争の時代について次々と映画作品が作られている。植民地支配の時代には、朝鮮人自身が政治家や軍人や官僚やビジネスマンとして、日本の植民地支配に加担していたわけですけれど、そういう自国の「黒歴史」も暴き出している。単に暴き出しているというだけではなく、それを物語として、娯楽として消費しているというところがすごいと思います。隠蔽されてきた歴史的事実なわけですから、国民に周知されなければ意味がない。だから、娯楽作品に仕上げる。これは、単に自国の暗部を暴露するという以上に力の要ることです。こんなことができるのは、いまアメリカと韓国くらいじゃないですか。フランスはヴィシーの時代のことや対独協力のことを隠蔽し続けていますし、ドイツもナチスの暴虐については歴史の修正を許していませんけれど、自国の「黒歴史」を娯楽作品に仕上げるだけの力はない。それを見ると、韓国の底力はすごいと思います。

韓国の現代史映画はだんだん舞台となる時代が下っています。2017年の『タクシー運転手』は、1980年の光州事件を娯楽アクション作品に仕上げた。主演のソン・ガンホは日本統治期の植民地支配に加担した官吏の内的葛藤を描いた『密偵』でも主演しています。日本統治時代に植民地支配に加担した人たちは「売国奴」であるということで戦後一括して無視されてきたわけです。こいつらについては語るに足るようなことは何もないんだ、と。でも、日韓併合から植民地支配は35年間続いたわけです。まるまる一世代です。その間は、政治家も官僚も財界人も教師も学者もジャーナリストも、帝国植民地支配に何らかのかたちで加担しなければ職に就けなかった。その人たちを「売国奴」で一括りにするのは気の毒だと思います。多くの朝鮮人は「面従腹背」だったと思います。深い内的葛藤を抱えて、その時代を生きたはずで、その人たちの苦しみについては後代の韓国人もやはり一掬の涙を注がなければならない。そういうふうに変わってきていると思います。

いまの日本で、例えば頭山満や宮崎滔天や北一輝を主人公にした映画を作って、その人たちがアジアの解放を望みつつ、帝国のアジア支配に加担してゆくときに、どのような葛藤を経験したのか……というような物語を娯楽作品として製作し、観客が享受できるということはありえないと思うんです。まず企画が通らないし、製作費が集らない。作っても上映したら左翼は「帝国主義賛美だ」と言って、歴史修正主義者たちは「反日映画だ」と言って猛攻撃してくる。だから、自国の歴史の複雑な内情を複雑な文脈のまま表現できる力は日本にはない。

あと10年ぐらいしたら、おそらく韓国映画は金玉均（キムオッキュン）を描いた映画も作るようになると思います。福澤諭吉や頭山満や袁世凱や閔妃が出て来るような大作歴史映画を韓国の映画人はたぶん作れる。その時に日本との文化的な力の徹底的な差が可視化されるんだと思います。

日本は敗戦で終わったので恨みが残っている（内田）

――日本は、戦後アメリカによって民主主義教育をされていますので、戦後の日本では「旧体制が悪かった」という作品はいくらでも作られました。それに対するアンチとして、『永遠の0』などが出てきています。日本と韓国のどこが違うのかというと、日本は自力で革命ができなかったところでしょうか。敗戦で終わったので恨みが残っていて、いまそれが出てきている。

内田 敗戦のときに戦前の日本を全否定せずに、踏ん張った人たちもいます。戦前の日本にだってもちろん「よきもの」はあったんです。確かに戦争には負けた。でも、それ以前のものはすべて間違っていた、全部リセットしてやり直すのだ、というのは違うと思うんです。明治維新から敗戦まで77年間あったわけで、その時代に少年期青年期を過ごした人たちは「大日本帝国臣民」という自己規定から出発して成熟した。そのプロセスで、師に出会い、友だちに出会い、恋もした。その中で多くの日本固有の「よきもの」に出会ったはずなんです。ですから、どうしても過去の全否定ということはできない。実際に戦争に行って、戦争のむごたらしさと無意味さを味わった人たちは、そのショックで「戦争をした日本」は全否定しようとしたかもしれません。でも、いずれ死ぬ覚悟だけはできたけれど、徴兵に至らなかったという少年たちは、戦前の日本には哀惜すべきものがあまりに多かった。難破船から価値あるものを救い出したいという切なる思いがあった。

吉本隆明や江藤淳や伊丹十三はその世代なんです。養老孟司先生は敗戦のとき8歳でした。僕の師匠の多田宏先生は敗戦のとき14歳でした。ですから、大日本帝国臣民として少年期を過ごし、いずれ兵隊にとられる覚悟でいて、敗戦後に教科書に墨を塗らされた世代です。多田先生は対馬の宗家の家老の家柄で、弓術の家元ですから、戦後の日本社会が武道を全否定してゆく趨勢の中で、武道を守ろうとした。ですから、合気道の始祖の植芝盛平先生に弟子入りすることになった。多田先生が入門された頃の植芝道場は、稽古している門弟が5人ぐらいしかいなかったそうです。多田先生はそういうふうにはおっしゃらないけれども、僕は先生の立ち位置は、吉本隆明や江藤淳と文脈的にはそれほど変わらないと思います。教科書に墨を塗らされて、昨日まで皇国史観を教えていた教師が今日から民主主義を教えるということの欺瞞に接して、一時的には虚無的になったと思いますけれど、それと同時に、彼らが否定したもののうちに「守るべきもの」は絶対にある。人々がそれを捨てるなら、自分が守ると決めた。そういう人たちが日本社会のメインストリームに今もいてくれれば、戦前の大日本帝国の歴史について複雑なドラマが書き得たと思うのです。

――正直なところ私の世代でも、『永遠の0』の世界と、日本にも守るべきものがあったということの差が実感的にはよくわからない。それはいったいどうしてでしょうか。もっと若い人は、もっとわからないと思うんです。

内田 僕らの世代は、戦中派の人たちの発言を現認した最後の世代だと思います。親が戦中派で、教師たちが戦中派でしたから。彼らについて僕たちが知っているのは、この人たちは内的な葛藤を抱え込んで戦後日本を生きてきたということです。

戦中派が生きていて、日本の論壇やメディアの中心にいた間は、歴史修正主義なんて出て来ようがなかった。「大東亜戦争肯定論」というような論は60年代からありましたけれど、懐旧的老人以外は誰も相手にしなかった。若者でさきの戦争を肯定的に語る人なんかいませんでした。戦争経験者の99パーセントは戦争についてつらい記憶しかなかった。その戦争に自分も加担した。被害も受けたけれど、自分も植民地や戦地で非道なことをした。もう戦争はごめんだ。それが実感だったと思います。でも、戦争についてはそういう被害経験だけしか語らなかった。加害経験に関して、完全に口をつぐんでしまった。戦争での加害経験について書かれた文学作品は、敗戦直後には書かれましたが、60年代以降はぱたりと書かれなくなった。あの歴史は封印しようということになった。

「従軍慰安婦はいなかった」というようなことを当時は誰も言いませんでした。当たり前で、兵士を経験した人は誰でも従軍慰安婦の実態を知っていたからです。南京大虐殺もシンガポールでの華僑虐殺でも、「何もなかった」と言い立てても、「でも、俺はそこにいて、見たよ」という人がいくらもいた。だから歴史の捏造のしようがなかった。歴史修正主義者が登場するのは、自分の眼で戦争の現実を見た世代が退場したあとです。フランスもドイツも日本も全部そうです。

歴史の現実を証言する人がいなくなってから、戦争経験のない人間が出てきて、「戦争のときはほんとうはこうだった」と知りもしないことを言い出した。フランスでもドイツでも歴史修正主義が出てきたのは80年代からですけれども、戦争経験世代が第一線から退いて、社会的影響力がなくなったのを見計らって出てきた。

――イスラームにしてもジハードという言葉はあっても、実際にはしないというのは、向こうに行けば当たり前なんです。当たり前過ぎることが伝わらない。

内田 誰でも知っている常識的なことはわざわざ言挙げしないので、消えてしまうんです。

戦争が嫌いな理由はバカが威張るから（内田）

内田　日本では310万人死んでいますが、戦闘で死んだ人よりも戦病死、餓死、輸送船が魚雷にやられた溺死者の方が多い。一発も銃を撃つことなしに死んだ兵士がたくさんいたのです。人を殺すのは敵の銃ではなく、自国の政治体制です。勝ち目のない戦争を始める愚かな政府が、どれほど国民を苦しめるか。

小津安二郎の『秋刀魚の味』では駆逐艦の艦長だった笠智衆が、戦争を回顧して、「負けてよかったじゃないか」と言う場面があります。彼の艦の水兵だった加東大介が、一瞬たじろいでから、「そういやそうですね。バカなやつが威張らなくなっただけでもね」と答える。『彼岸花』でも似たセリフがあって、田中絹代が「空襲があった頃は、もう親子ひしと抱き合って暮らしていて、私はあの頃のほうが懐かしいわ」と言うと、佐分利信が苦々しい顔をして「俺はあの時代がいちばん嫌だった。バカなやつらが威張っていて」と吐き捨てるように言う。佐分利信は年齢的に言っても兵隊に行ったのは何十年も前の話で、さきの戦争にはたぶん召集されていない。だから戦時中はそこそこ偉い勤め人だったはずなんですけれど、そういうサラリーマンが一番嫌だったことはバカなやつが威張っていることだった、と。

矢内　なるほど。

内田　僕ももう年ですから、戦争が始まっても戦場で死ぬことはなさそうです。それでも、絶対に戦争になってほしくないのは、戦争が始まったら「バカが威張り出す」ことが確実だからです。いくら年寄りになっても、バカが威張る社会では暮らしたくない。

矢内　現代でも「バカに威張られたくない」という理由で仕事を辞める人もけっこういます。戦争をしたくないというすごくシンプルなことを、妻や子どもを持つとさらに思うようになりました。

内田　そうでしょう。

矢内　勇ましいことも言いたくない。裁判もしたくない。

内田　とにかく、「戦争も辞さず」というような好戦的な言辞を吐く人間は全部例外なくバカです。戦争になったら自分が威張れるという期待があるから、そういうことを言うのです。

――しようと言う人間は自分では一切やらないんです。

内田　絶対やりませんよ。徴兵制復活とか言っている人間で自分から志願して自衛隊に入る人間なんかいませんよ。

矢内　徴兵制も嫌です。

内田　軍隊も嫌だったけど、隣組が嫌だったというのもよく聞きますね。山本七平は徴兵検査のときに、いつも御用聞きに来る近所の親父が在郷軍人で軍服着て、徴兵検査に来た青年たちに威張り散らしていた場面を書き残しています。ふだんうちへ御用聞きに来るときは卑屈な人間だったのが、いざ自分が威張れる立場になったとたんに隣人を怒鳴りつける。

矢内 やだなあ。

内田 山本七平にとっては、それが一番嫌な戦争経験だった。戦場での理不尽以上に嫌な経験だった。ひごろ世間に侮られて、屈辱感をもっていた人が戦争システムの中で、自分が手にしたわずかな権力を最大限に使って、他人に不要な屈辱感を与えることで、それまでの人生で自分が味わった屈辱感を相殺しようとする。既存の社会秩序が崩れて、権力者に媚びる人間にだけ特権が賦与される社会になると、必ずそういうことが起きる。戦時体制というのはそういうものです。

毛沢東は分業を認めず全員がゼネラリストになることを要求した（内田）

矢内 毛沢東がカンニング擁護論というのをどこかで書いていました。あらゆる大人になってからの仕事というのは、人に教えてもらいながらやるものなのに、学校のテストをカンニングしたらいけないというのは、まったく意味がわからないと。

内田 でも、毛沢東は国民に対する要求水準が高いと思いますよ。紅軍兵士に対して毛沢東は分業を認めなかったから。全員がすべての職域において専門家であることを要求した。紅軍兵士は兵士であり、農夫であり、技師であり、教師であり、医師であり……とにかくなんでもできないといけない。なぜなら毛沢東は分業が階級を生み出したと考えていたからです。テクノクラートがいるから階級が発生する。だから、テクノクラートの存在を許さない。それでも社会が回るためには、一人の人間がすべてできないといけない。

矢内 分業は大事です。

内田 階級闘争史観では、階級の廃絶が最優先課題だから、さまざまな職能をもった人間が、それぞれに得意技を発揮して、みんなで協力しあうというアイデアが出てこないんです。みんなが好き勝手なことをして、それで相互に支援し合うというのはアナーキズム。

矢内 僕は結婚して、やはり分業というのは必要だという思いが強まりました。ゼネラリストになれるのは、相当強い人間です。

内田 ゼネラリストというのは誰からも援助されなくてもやっていける人のことです。これは端的に紅軍がゲリラ戦を戦っていたからだと思います。すべての兵士が、銃を撃てるし、爆弾もつくれるし、米もつくれるし、怪我人も治せる。それなら5人でも100人でも

1000人でも戦える。伸縮自在ですから。分業制だと、「爆弾つくれ」と言う時に「すみません、爆弾係の山田がいません」ということになります。

矢内 そうですね。

内田 ゲリラ戦をやる以上は、一人で全部の兵科がこなせるというのが理想になる。それはその通りなんです。毛沢東の社会観はその戦争経験から出てきた。だから、大躍進も、文化大革命も起きた。それは毛沢東が「分業が階級を生み出す」と信じていたからです。

――学校もそういう意味では、好きな人間が好きなことをやっていくのであれば、それでいいのですが、近代国家をつくるときには、それではいけなかった。

内田 もっと前の時代だったら、農産物をつくる上では、中等教育以上の教育はいらなかった。初等教育で、読み書き算盤習ったら、あとの教育は要らなかった。でも、産業構造が近代化したせいで、工場における製造プロセスに合わせて教育課程を変えなければならなかった。工場では、全工程を管理して、仕様書通りに規格に合わせた製品を作って、欠陥品をはじきだして、決まった品質の商品を、決まった納期までに製造しなければならない。その産業構造に適応するように子どもを育てるのが教育の課題になった。でも、それはもう半世紀も前の産業構造です。いまのポスト資本主義社会にはもうそのモデルはまったく適応していない。だから、前期産業社会のメタファーで管理されているいまの学校ではイノベーションも、ブレイクスルーも起きないんです。ただ、子どもたちを無意味に同質化・規格化して、使い物にならなくしているだけで。

矢内 そうですね。

内田 いま世界の産業のメインストリームは製造業ではないんです。製造業はもうロボットがやるんだから、子どもをできの悪いロボットにする必要なんかない。工場労働に最適化した人材なんか作っても意味がないんです。産業構造の変化に学校教育の方が遅れている。意味がない教育をしているから、無意味なことに耐えられない子どもたちは脱落する。これからは過渡的には、少しでも鋭敏な子どもは学校に行かなくなる時代が来ると思います。

だってYouTubeで勉強できて、YouTubeで発信して、中学生だってうまくしたら100万円ぐらい稼げるわけでしょう。

矢内 最近、なぜYouTubeで動画を発信すると飯が食えるんだろうということを、すごく疑問に思うんです。日本は非常に豊かです。

内田 新しいタイプの産業が生まれたわけです。いつまで続くかわからないけど。ユーチューバーで暮らしていけるということは、規格通りの工業製品を作り出すことが最優先する時代がもう終わったということを意味しています。農業が主要産業である時代が終わったのと同じで、工業が主要産業である時代が終わったんです。

矢内 第三次産業とかがメインになってくる。

内田 第三次、第四次、第五次、第六次ということを高次化してくるということですね。

YouTube 外国語大学を作りたい（矢内）

矢内 先日、天理教の本部へ行ってきました。天理大学はもともと外国語大学で、奈良県天理市に本部がある天理教が南米と東南アジアに留学生を送ると同時に留学生を受け入れていた関係で、外国語の教育をやっていました。アジアとつながっていることが、天理教が長く繁栄している要因かと思ったんです。

少子化対策は、もう政府が何をしたところで子どもは増えも減りもしないと思う。ただ、日本民族がこのまま滅亡するかというと、そうでもない。日本列島が経済的に破滅したら、東南アジアや韓国、あるいは南米から日本民族が帰ってくれれば、また復興できます。

そのためにやはり外国語です。中田先生を講師に招いて、YouTube 外国語大学を作ろうかと。英語からなら、あらゆる言語にアクセスできるんです。たとえば英語でトルコ語の勉強をするなら、様々な参考書があります。日本語からは非常に教材が少ないけれど、英語や中国語などお金になりそうな言語の参考書はたくさん作られているんです。だけどそれでは日本の縮小とともに縮小するタイプのグローバル人材しか育成できません。

それよりまったく聞いたこともない場所に行って、そこから日本を見ている人が一定数必要です。突然グアテマラやナミビアに行って、日本のことを外から見ている人が出てきたらいい。だからそういうマイナー言語を講義する動画を最近出しています。日本の外に安全地帯をたくさん作っておこうと思っているんです。

内田 安全保障のために資産を分散しておく。

矢内 リスクヘッジのために。このまま日本が豊かに繁栄していけば、それはそれですごいのですが、全体的な破滅が訪れたときに、復活するためのバックアップがいろんなところにあるといいと思っていて。そのためにYouTubeは便利です。

たとえば、私は海外に行ったことがないんですけど、YouTubeは非常に便利で、「バンコク　ウォーキング」と検索すると、バンコクを2時間歩いている動画が出てきて、街の騒音やバイクがブーンと走る音が聞こえてきて、行ったような気になれる。エジプトはクラクションを鳴らしすぎだとか。

内田 そういうものがあるんですね。

矢内 それを見て、イギリスはすごく道路が整備されていて、自転車が道路の左を走れるし、右も走れるし、先進国だとか、そういう動画を見ると、家にいながらにして、すごく世界を知った気になれます。もちろん、実際に行ってみたときの温度や生活習慣はわからないのですが、今後、VRが出てくる中で、音声と画像以外にも3D的な実感もわいてくるようになるでしょう。

そういう意味では海外にバックアップを取っておくことが容易になってきます。私は日本が大好きで、日本民族に滅びてほしくないので、バックアップをどんどん取っていきたいです。私の経営形態も1カ所に経営決定権を集めないで、それぞれが勝手にやってもらっています。ときどき「大丈夫ですか」と様子を見に行くのですが、それを今後は世界に作っていきたいと考えています。

日本・韓国・台湾の安定的関係が安全保障のカギ（内田）

内田 僕は韓国に親しみを感じているんです。短期間にずいぶんたくさん僕の本を翻訳してくれました。3年間でもう20冊近いのかな。今年1年でも5冊くらい訳書が出ます。僕はそれに驚くのです。韓国の人たちには隣国から新しいものを吸収しようという意欲がある。政治的には日韓関係はこんなに悪いのに、そういう知的な貪欲さは衰えない。この開放性に僕は深い敬意を抱きます。

僕は日韓連携が東アジアの安定のためには必須だと思っています。韓国と日本の人口は、日本が1億2700万人、韓国が5100万人ですから、両方合わせると1億8千万に近い。これに台湾・香港を足すと、人口2億1千万人、GDP7兆2500億ドルの巨大な経済圏が出来上がる。この四つの政治単位は民主主義という政治理念において共通しています。その点で中国と違う。

これから中国が軍事的にも、経済的にも、東アジアを管理するポジションを占めるのは間違いないです。中国は14億の国民を統御するために、きわめて科学的な管理システムを完成させています。中国では、このあと数十年以内に、経済的な失速や、急激な人口減が予測されているわけです。その場合には、強権的な国民管理システムが整備されないと民衆の不満が増大して、体制崩壊のリスクがある。だから、中国はこれからさらに強権的な国家体制を完成させてゆくと思います。民主化が進むとは想像しにくい。だとすると、東アジア諸国が中国に呑み込まれるというわけにはゆかない。外交的に対峙できるだけの「塊」を作らないと切り崩される。

僕が怖いのは、日本の政治家は長期的な国家ヴィジョンがなく、ただ「強いものに尻尾を振る」ことしかできないということです。いまはアメリカべったりですけど、アメリカの覇権が衰えて、東アジアが中国の勢力圏になったら、たちまち宗旨替えして、中国べったりになる。彼らは強国には尻尾を振りますけれど、自国民を統制したり、管理したりすることは大好きだから、いまの中国が国民統制に採用している人民監視システムを嬉々として日本にも導入しようとするでしょう。

いま中国では、キャッシュレスでの買い物や顔認証システムや電力消費量の変化など、あらゆる指標で国民がどういう動線で、どこに集まって、何かやっているのかを監視しています。中国の人民監視システムは世界最高レベルです。アメリカでも追いつけない。世界中の強権的な支配者にとってはこれほど欲しいものはない。だから、ベトナムやシンガポールやアフリカの独裁国家では、いま次々と中国の人民監視システムをパッケージで購入しています。日本政府だって、いまはアメリカに遠慮があるから口に出せませんけれど、実は喉から手が出るほど欲しいはずです。

それを考えると、日韓と台湾、香港が、アメリカ、中国の二大国と一定の距離を置いたグループを形成するというのは、長期的には東アジアの安全保障上ではとても適切なことじゃないかと僕は思っています。ここに一種の「中立地帯」を作って、均衡をとる。それが現実的な政策だということは韓国の人たちも、台湾の人たちも、香港の人たちも、なんとなくわかっているんだと思います。ただ、それを実現するためのロードマップが見えない。

僕が韓国で講演をするときに、日韓連携をベースにして東アジア共同体を立ち上げましょうという話をすると、拍手がわくんです。でも、日本でこの話をしても、誰も相手にしてくれない。「日米同盟基軸」ということだけを念仏のように唱えているだけで、思考停止に陥っている。日本人の国際感覚はほんとうに致命的に遅れていると感じます。

僕は南と北は遠からず一国二政府で統合すると思います。北朝鮮が南を武力侵攻することは事実上不可能になった。韓国にこれだけ経済力でも文化的発信力でも差をつけられてしまったら、北朝鮮の国家体制を維持するためには、金日成が提案した高麗連邦政府構想にすがるしかない。いずれ在韓米軍が撤収したときに、その話し合いが始まると思います。統一朝鮮と日本と台湾と香港が一つのまとまりをつくること、半世紀先の東アジアの地図としては、それが一番合理的だと僕は思います。

――そのとおりです。

一党独裁がいいと思っている政治家や経済人は大勢いる（内田）

内田 アメリカは国力がしだいに衰えています。軍事的にもアドバンテージを失っている。アメリカの国防戦略には産軍複合体がかかわっています。そのしくみから受益している人たちが国防政策の決定者の中にも大量に含まれている。彼らはアメリカの国益よりも企業の利益を優先する。それがアメリカの国防戦略が現実に最適化できない理由なんです。

中国は習近平が決めたら、反対する人は自動的に指導部から排除される。先端企業も、大学の研究者も、党の指令に従って、一つの研究領域にすべての資源を投入できる。アメリカではそういうことができません。企業の研究者に「会社を辞めて、明日から国防総省に来て、このプロジェクトに専念しろ」ということは命じられないし、軍需産業が抱え込んでいる時代遅れの不良在庫を政府に買い上げるようにうるさくロビー活動する議員たちがいる。

でも、いまの軍事はもうＡＩにシフトしています。ミサイルや飛行機や空母なんかいくら作っても、それをコントロールするシステムのセキュリティが破られたらおしまいなのに、そのための備えが遅れている。ＡＩ軍拡競争には何の役にも立たない「時代遅れの兵器」が軍需産業に在庫がたまっていて、それの処理に困っている。アメリカ政府がＦ35を日本に「大量買い」を押しつけたのは、端的に戦闘機なんかもう要らないからです。その代金をＡＩ技術の開発費用に充てるために日本に売りつけている。

トランプはリバタリアンですから、本質的に軍事は嫌いなんです。軍事の素人である自分に対して、将軍たちが威張って指図することが我慢できない。だから、いずれ米軍は西太平洋地域から退いてゆくと思います。ここに地政学的空隙ができたら、中国が入ってくる。それを押し戻そうと思ったら、何らかの世界戦略が必要です。でも、アメリカも中国も日本人の代わりに東アジア戦略を考えてくれたりしません。自分で考えるしかない。

――自由民主主義が、経済にも国の発展にも一番いい制度だと言われてきましたが、おっしゃったように、短期的な意思決定は中国のような独裁のほうが早い。その中からどうやって人間の自由を守っていくのかを、いままでの西欧的なイデオロギーではないところで、もう一度考えていかなければいけなくなっています。

内田 中国、ロシア、フィリピン、トルコ……と非民主的な体制のところがいまのところ成功しているという事実があります。そして、ヨーロッパや日本では極右が進出してくる。彼らは右翼というよりは、強権的な支配を好む人たちなんです。民主的な粘り強い対話によって合意を形成するのが嫌いなんです。それよりは、外交も、経済政策も、教育も、医療も、全部トップが決めて、上意下達で末端まで指令が行き渡るシステムの方が好ましいと思っている。だから、自民党や維新を支持している。そして、そういう日本人が無意識に参照しているのは「中国の成功例」なんです。わずかの期間にここまで成長した中国について、彼らが学習したのは、「それは一党独裁と徹底的な国民監視システムのおかげだ」ということなんです。自分ではそうと知らずに「中国みたいな国にしたい」と思っている。

——いますね。確実に。

内田 とりあえず闘うのはそういう人たちとなんですよね（笑）。わが内なる中国。

——これは日本だけではなく、世界の課題だと思います。

矢内 新しい自由が必要です。

内田 僕たちは全力を尽くして自由を守らなくてはいけないんです。

あとがき

えらいてんちょう（矢内東紀）

私にとって内田樹先生は、教科書に出てくるような有名な評論家、知識人だったので、まさか共著を出すことになるなんて想定もしておらず、機会をいただけたことをとてもうれしく思っています。

今回の本を出すことになったのは、内田先生とも私とも仲のいい中田考先生があいだをとりもってくださったからですが、じつはそれよりもはるか前に、内田先生と間接的に関わったことがあります。それは、内田先生と中田先生の共著で2014年に出た『一神教と国家――イスラーム、キリスト教、ユダヤ教』（集英社）という本です。テープ起こしの仕事をもらって厳しい起業初期を乗り切ったことがありました。

内田先生のご著書は数多く読ませていただいていますが、もっとも印象に残っている本のひとつが『先生はえらい』(ちくまプリマー新書)です。「先生はえらい、えらいのが先生なんだ」ということを言っている本です。あたりまえだろと思われるかもしれませんが(笑)、自分の師を見つけるためにはどうしたらいいかが書かれています。私はそれを読むまで、誰かを先生と呼び従い、人からものごとを教わるのが苦手でした。その感覚を壊してくれたのが『先生はえらい』です。誰でも先生と呼んでしまっていい、自分にとっての先生は他の人にとってはぜんぜんえらくなくてもいい、そして学べることがあるのなら誰でも先生になりうるのだと学びました。それ以来、私は誰でも先生と呼べるようになった。

何を隠そう、「えらいてんちょう」という私のハンドルネームは、この本からきているのです。当時、とにかく人間関係に疲れていたので、私をえらいと思ってくれる人しか付き合いたくないという意思表示を込めて、自分を「えらいてんちょう」と名付けました。それから逆説的に人をえらいと思えるようになったし、とにかく、私の人生に大きな影響を与えてくれた本です。

ほかにも、『困難な結婚』というご著書があります。どうやって結婚して、どのように結婚生活を維持していくかという話で、これにも大きな影響を受けました。私も『しょぼ婚のすすめ』(ベストセラーズ)という本を書きましたが、『困難な結婚』から影響を受けて書いています。

内田先生の本は、とくにご専門であるユダヤ教、レヴィナスの哲学などさまざまな知恵を用いて現代社会の病理をあばくという、ある意味では突飛な発想でありながら、結論は穏当で誰もが実践できる、そして人生が少しゆたかに、知恵深くなれるようなものになっています。だから先生の書かれる文はえらくて勉強になるなあと思って読んでいたわけです。

それから長く時を経て、私は『しょぼい起業で生きていく』という本を出しまして、それについて内田先生がどこかで言及してくださいました。それで帯に推薦をいただくことになり、以来ツイッター上では親しくさせていただくようになりました。

でも初めて直接お会いしたのは、2019年6月のことです。内田先生が講演会をされるということで、中田先生と論文ユーチューバーである笹谷ゆうやと一緒に、一観客として聞きに行ったところ、えらく歓迎してくださって控室に上げていただいたりして、私としてはスターに会えたような気持ちでいたのですが、そこで晶文社の安藤聡さんから、共著を出さないかと話をいただき、トントン拍子に出来たのがこの本だというわけです。

対談をする前は私が内田先生に話せることなんてあるのかと悩みましたが、いざ話してみると先生がもつ興味の裾野は広く、とくにYouTubeのことや最近の政治動向、若者は何を考えているか、などを聞いていただきました。とても聞き上手な方で、一回話し終わって振り返ってみると次に話したいことや前回話し足りなかったことが自然に思い浮かぶのです。同時に誠実に話さなければという気持ちを呼び起こさせてくれる喋りだなとも思いました。もちろん、ふだんから誠実に話すことを心がけてはいますが。

対談のあともツイッターでちょこちょことやり取りをさせていただいていまして、そうすると次に内田先生に会ったときは何話そうかなとついつい思ってしまうんです。内田先生の知識に触れて刺激をうけると同時に、自分が何を話したいのかについて深く考えさせてくれるという意味で、内田先生の先生としての力を感じます。そう思わせてくれる方ってまれですし、どんなことでも驚きと平静さをもって聞いてくれるという内田先生の知恵と知的な態度に裏打ちされているものなのでしょう。

『先生はえらい』のなかで、内田先生は「師を見るな、師の見ているものを見よ」と書いてらっしゃいます。私はこれがすごくいい言葉だなと思って日頃から実践しています。どういうことかというと、先生でない人にも言えるんですが、ある人から直接発せられた言葉ではなくて、その発言の理由、何を達成しようとして発した言葉なのか、それを考えてみるということです。それを考えてみるとさまざまなことが奥深くわかるような気がして、非常に楽しい。だから自分も、表面的に内田先生のことをなぞるのではなくて、内田先生がどういう問題意識を持って文章を書かれたのかを思って読み、話すときも同じ姿勢で臨みました。話していると自分の中で眠っている知的好奇心を呼び起こさせてくれる喋りをする方なので、できあがる本がとても楽しみですし、こうやって一緒に本を書かせてもらったことを光栄に思っています。

最後になりますが、引き合わせてくださった中田先生と本の話を持ちかけてくださった晶文社の安藤さん始め、この本に関わってくださったすべての人に深く御礼を申し上げます。

2019年11月

あとがき

中田考

洋の東西を問わず、昔から大人と子供は分かり合えないものです。老人と若者と言って構いません。いや、若者と老人に限らず人間は分かり合えないものです。人類学には通過儀礼という概念があります。どの民族にも、メンバーの出生、成人、結婚、死などに意味を与えそれぞれに役割を割り振る慣習があります。それが通過儀礼で、互いに分かり合えない人間がそれでも共に生きていくための知恵でした。

グローバリゼーションが進行しインターネットが世界中の人々をつなぎ、人間は自由、平等になり、そうした儀礼は時代遅れな悪習としてすたれていきました。ところが人々が平等になり、自由につながることができるようになったにもかかわらず、逆説的に世界はますますセグメント化されていくようにみえます。東アジア、欧米、中東、国境で分断された世界中で排外主義が広がっています。アメリカでは「リベラルな知識人」たちによるメディアの批判の集中砲火を浴びても、「フェイクニュース」しか読まないトランプのコアな支持層は一向に動ずる様子はありません。日本でも状況はおなじようなものです。

問題は対立そのものではありません。冷戦期の東西、左右の対立はある意味で現在よりも先鋭で危険なものでした。現代の分断化の問題は、両者の間に対話が成立しない、いや対話への意志すら存在しないことです。冷戦期の対立は、「敵」との会話を拒否するのではなく、「敵」の議論を止揚し、説得し、「改宗させる」ことを目指すものでした。今から振り返ってみると、あまり成功したとはいえなかったような気がしますが、少なくとも理念的にはそうでしたし、冷戦のイデオロギー闘争は世界大戦を招くことなく、ともかくも平和裏に西側の勝利に終わりました。しかし現在の対立にはそのような対立の止揚の契機が欠けているように見えます。そしてこうした分断の中でも最も深刻なのが世代間の対立、セグメント化です。なぜならそれは過去と未来の断絶に他ならないからです。

農家の後継者不足は既に私が小学生だった頃から言われていましたが、現在では私の生活圏でも数十年続いた食堂や個人商店が後継者の不在によって次々と店をたたんでいます。いや、中小企業だけではありません。大学ですらそうです。私が身をおいていた山口大学でも、同志社大学でも常勤のポストはどんどん削られています。問題は制度面でのポストの減少ではありません。それは結果であって原因ではないからです。私は早くに大学を去りましたが、気が付くといつの間にか私の同輩たちも指折り定年の日を待つ年齢になっています。そして周りを見回して思い知らされるのは、私たちは後継者を育ててこなかった、ということです。
後継者を育てる、というのは、博士号をたくさん出すことでもなければ、学派を作って自分の学問的業績を護らせることではありません。引き継ぐべきものはそのような形あるモノではありません。内田先生はそれを「仰角」と呼んでいます。美しい比喩なので少し長くなりますが、そのまま引用させていただきます。

師弟関係で継承されるものは実定的なものではなく、師を仰ぎ見るときの首の「仰角」である。これは師弟のあいだにどれほどの知識や情報量の差異があろうとも、変わることがない。

師弟関係における「外部への回路」は、「師の師への欲望」を「パスする」ことによって担保される。(…中略…)
師弟関係において「欲望のパス」をしない人間――つまり弟子の欲望を「私自身へのエロス的欲望」だと勘違いする人間――は、ラグビーにおいてボールにしがみついて、試合が終わってもまだボールを離さないでいるプレイヤーのような存在である。彼は自分の仕事が「ボールを所有すること」ではなく、「ボールをパスすること」であり、「ボールそのもの」には何の価値もないということを知らない。

「師の師への欲望」として「顔の彼方」へとパスされてゆくはずの欲望が、二者間で循環することの息苦しさに気づかない師弟たちだけが、出口のない官能的なエロス的な関係のなかで息を詰まらせて行くのである。

真の師弟関係には必ず外部へ吹き抜ける「風の通り道」が確保されている。あらゆる欲望はその「通り道」を吹き抜けて、外へ、他者へ、未知なるものへ、終わりなく、滔々と流れて行く。

師弟関係とはなによりこの「風の通り道」を穿つことである。

この「欲望の流れ」を方向づけるのが師の仕事である。

師はまず先に「贈り物」をする。

その贈り物とは「師の師への欲望」である。

その場合の師とは、さきほども書いたように、必ずしも人格的な師である必要はない。「私が知るべきことを知っていると想定される他者」は――遠い時代の異国の賢者であれ――定義上「師」の機能を果たしうる。

そして、師から「欲望の贈り物」を受け取った弟子は、それを師に返すのではなく、自分の弟子に贈る。

その永遠の「パス」によって師弟関係の「非相称性」は確保される。

（「内田樹の研究室」２００2年2月13日）

大学院に残った者たちに対しても、そして大学を去って企業や政府に入った者たちに対しても、自分たちが仰ぎ見る真智への仰角を伝えてこなかった。大学の予算が削られ、ポストが減っていくのはその結果でしかありません。真智をその憧憬と仰角と共に「パス」しなかったなら、大学は、教員が学生の持っていない知識を持っていることで地位と金を得られるように、それを自分だけが持っていることで利益を得られる知識という財を売る場でしかなくなります。

文科省の役人や財界人が、実用的な研究、利益があがる知識の提供を大学に要求するのは、大学の教員が真智とその憧憬のパッサーとしてでなく、知識を独占しそれを切り売りする者として振舞ってきたからであり、学問の継承者がいなくなり大学が滅びつつあるのも同じ理由です。

私にとって身近な大学を引き合いに出しましたが、憧憬の仰角による継承の問題は、アカデミアだけの問題ではありません。内田先生も武道を例にあげていますが、継承が憧憬の仰角のパスによってなされる、という原理はあらゆる職業、役割に共通すると思います。

本書は、ある意味で、私個人の「師の師への欲望」から生まれたものです。内田先生がレヴィナスのテキスト「存在するとは別の仕方で」から自らの生身を介在させて引き剝がした代替不能な解釈に導かれ、存在するとは別の仕方で共にいる他者のために生きる道を私は選ぶことにしました。そしてそれは、私の欲望と仰角を誰かにパスしていくことでもあります。そしてパスの相手は、私を今もこの世界に繫ぎとめてくれている若い友人矢内さんしか考えられませんでした。晶文社の安藤さんから、この対談の進行役を仰せつかったのは嬉しい驚きでしたが、必然でもありました。内田先生が言われるようにパッサーであるためには、パスを受けそれを次につなぐすぐれたパッサーとのネットワークの中にいなければいけないからです。

贈与者はいつも「送り先」について考えているからである。

というか、いつも「送り先」について考えているもののことを贈与者と呼ぶのである。（…中略…）

すぐれた「パッサー」であるためには、パスを受け、さらに次のプレイヤーに贈る用意のあるすぐれた「パッサー」たちとの緊密なネットワークのうちに「すでに」あることが必要である。

（「内田樹の研究室」２００９年12月14日）

本書は、東アジアの連帯への呼び掛けをもって終わります。世界の分断と自閉の時代に、「風の通り道」を穿つのは、希代のパッサーである内田先生と矢内さんをおいていない、と私は信じています。本書が先賢たちからの贈り物を未来に送り届け、世界のこの閉塞状況に新風を吹き込むものとなることを願って已みません。

２０１９年11月

本書のもとになる対談は、２０１９年2月13日（於・学士会館）、3月20日（於・凱風館）、6月3日（於・晶文社）の3回にわたり、中田考氏の司会のもとに行われました。

【著者について】

内田樹（うちだ・たつる）

1950年生まれ。東京大学文学部仏文科卒業。東京都立大学大学院博士課程中退。凱風館館長。神戸女学院大学文学部名誉教授。専門はフランス現代思想、映画論、武道論。著書に『ためらいの倫理学』(角川文庫)、『「おじさん」的思考』『街場の憂国論』（共に晶文社）、『先生はえらい』（ちくまプリマー新書）、『街場の戦争論』（ミシマ社）、『困難な成熟』（夜間飛行）、『困難な結婚』（アルテスパブリッシング）、『そのうちなんとかなるだろう』（マガジンハウス）、『生きづらさについて考える』（毎日新聞出版）、編著に『転換期を生きるきみたちへ』『街場の平成論』（共に晶文社）など多数。『私家版・ユダヤ文化論』（文春新書）で第6回小林秀雄賞、『日本辺境論』（新潮新書）で新書大賞2010受賞。第3回伊丹十三賞受賞。

えらいてんちょう　矢内東紀（やうち・はるき）

1990年生まれ。慶應義塾大学経済学部卒業。バーや塾の起業の経験から経営コンサルタント、ユーチューバー、著作家、投資家として活動中。2015年10月にリサイクルショップを開店し、その後、知人が廃業させる予定だった学習塾を受け継ぎ軌道に乗せる。17年には地元・池袋でイベントバー「エデン」を開店させ、事業を拡大。日本全国で10店、海外に1店（バンコク）のフランチャイズ支店を展開。18年、初の著書『しょぼい起業で生きていく』（イースト・プレス）がベストセラーに。その他の著書に『しょぼ婚のすすめ 恋人と結婚してはいけません！』『ビジネスで勝つネットゲリラ戦術詳説』『静止力 地元の名士になりなさい』『「NHKから国民を守る党」の研究』（いずれもKKベストセラーズ）がある。YouTube「えらてんチャンネル」のチャンネル登録者数は約15万人（2019年12月現在）。

中田考（なかた・こう）

1960年生まれ。イスラーム法学者。灘中学校、灘高等学校卒業。早稲田大学政治経済学部中退。東京大学文学部卒業。東京大学大学院人文科学研究科修士課程修了。カイロ大学大学院文学部哲学科博士課程修了(Ph.D)。1983年にイスラーム入信、ムスリム名ハサン。現職は同志社大学一神教学際研究センター客員フェロー。著書に『イスラーム法とは何か？』（作品社）、『カリフ制再興』（書肆心水）、『イスラーム　生と死と聖戦』（集英社新書）、『みんなちがって、みんなダメ』（KKベストセラーズ）、『イスラーム国訪問記』（現代政治経済研究社）、『13歳からの世界征服』（百万年書房）などがある。

しょぼい生活革命（せいかつかくめい）

2020年 1月25日　初版

著者　内田樹、えらいてんちょう（矢内東紀）、中田考

発行者　株式会社晶文社

東京都千代田区神田神保町1-11 〒101-0051
電話03-3518-4940（代表）・4942（編集）
https://www.shobunsha.co.jp/

印刷・製本　中央精版印刷株式会社

ISBN978-4-7949-7168-5 Printed in Japan